Глава 1

Алиса, весьма привлекательная шатенка средних лет, недовольно выключила телевизор и швырнула пульт на большой мягкий диван.

— Что у нас за телевидение? Что за передачи, особенно днем? Чушь какая-то, хоть вообще не включай. Люди судятся друг с другом, устраивают разборки, совершенно не стараясь договориться о чем-либо, а только втаптывая собеседника в грязь. Да еще сериалы с пластмассовыми актерами, которых находят, кажется, на улице, в очереди возле гастронома.

— И правда, лучше и вовсе ящик не включать, — поддержала ее светловолосая голубоглазая дама, Аграфена Пичугина. — А новости? Ты забыла еще о новостях каждый час по всем каналам. Вот когда мы слышали что-нибудь хорошее? Наоборот! Тут убили, там изнасиловали, здесь упал самолет или сняли с поста «оборотня в погонах»... При этом все понимают, что убивают каждый день, насилуют тоже и что добрая сотня других «оборотней в погонах» осталась сидеть на своих местах.

3

Аграфена Романовна Пичугина особую «радость» по поводу своего имени не испытывала. Своё неудовольствие она, конечно, едва только подросла, высказала близким, но все же смирилась, хотя постоянно слышать в свой адрес то «Груша», то «Груня» ей не нравилось. А подруга Алиса пошла еще дальше — называла ее «Гру» или «Ня», совсем уж сокращенно, иногда почему-то «Нафаня».

Дружили они уже лет тридцать, познакомившись в детском садике, и понимали друг друга не то чтобы с полуслова или полувзгляда, а с полувздоха. Груша была полностью согласна с известным философским замечанием, которое гласит: «Подруга — это та сестра, которую мы выбираем сами». В общем, они были, что называется, не разлей вода, вплоть до совпадения биополей, до взаимной привязанности и любви и до настоящей женской дружбы. А в том, что последняя существует, Аграфена даже не сомневалась, считая, что дело не в половом признаке, а исключительно в порядочности людей, будь то мужчина или женщина. И всегда очень ценила, что рядом с ней идет по жизни человек, на которого можно положиться, как на самое себя. Короче, с подругой Аграфене повезло.

Ровно так же думала и Алиса, в этом у них тоже было полное взаимопонимание.

— Мне еще очень нравятся новости, идущие под лозунгом «Никакой политики!», — продолжила разговор Алиса. — Мол, ребята, у нас сплошной позитив, все к нам, эге-гей! В итоге улыбающийся ведущий сообщает с экрана, что в такой-то школе ученики избили учителя, а доверчивые пенсионеры снова стали жертвой мошенников. Вот так позитивчик! И все это

подается с очаровательной миной на лице, украшенном не затуманенными умом глазами. И не придерешься — действительно обходятся без политики. Только толку-то что? Все равно вгоняют в депрессию.

— Уговорила, новости тоже смотреть не будем, — улыбнулась Груня.

— И сериалы снимают непонятно о чем. Ерунда полная, ничего жизненного и такого, что могло бы чему-то научить. Лучше бы про твою жизнь сняли сериал. Это был бы сериалище! Женщины бы рыдали! — высказалась Алиса.

Аграфене трудно было с подругой не согласиться.

Груню воспитывала мать, женщина очень добрая, а если точнее — безвольная и мягкотелая. Поэтому она всегда что хотела, то и делала. А в подростковом возрасте и подавно показала всю прыть. Где-то в душе Груня ждала, что мама приструнит ее, одернет и вернет на землю, но родительница только разводила руками, показывая свою полную беспомощность. Возможно, Груне не хватало отца. Вот она и ушла из дома, протестуя, в поисках твердой руки и твердого плеча. На ее беду, «твердым плечом» оказался семнадцатилетний хулиган Олег, вечно ходивший с дешевой папироской, зажатой в углу рта и источавшей жуткий запах, да сутками бездарно бренчавший на расстроенной гитаре.

Родители парня нещадно пили и даже не заметили, что сын привел в свою комнату девочку с улицы. Единственным, что сказала его мать с опухшим, одутловатым лицом, когда Груня вышла утром из комнаты Олега, «где все и случилось», сконцентрировав на юной незнакомке мутный взгляд, было:

— О, деваха... Прикольно! Сгоняй-ка за пивком...

Приходившие в дом гости, местные алкаши, напивались вместе с хозяевами дешевого пойла, и их частенько выворачивало прямо где придется. Поэтому когда Грушу стало тошнить по утрам, она по детской наивности подумала, что заразилась от них «рвотным вирусом». Через какое-то время непросыхающая свекровь второй раз посмотрела на Грушу — опять с утра, после принятия «живительной влаги», то есть пива, — и спросила:

— Олежек, сынок, а твоя дурочка не понесла? Не хватает нам лишнего рта и головной боли! Эк балбесы вы бестолковые...

— Чего несла? — огрызнулся сын, который тоже уже прикладывался к пиву и вечером, и утром, и днем.

— Не беременная, говорю, деваха-то твоя? Ей сколько лет, идиот? Это ж статья! Вот горе мне, горе! Сразу говорю, никаких передач в тюрягу от меня не дождешься!

Олег, сообразив наконец, о чем идет речь, изрядно струхнул. А когда выяснилось, что мамаша права, ударился в бега.

Грушу выбросили на улицу, и она попала в социальный приют для бездомных несовершеннолетних как подвергшаяся сексуальному насилию и к тому же беременная. Там с ней поговорили, оказали помощь и сообщили матери. Родительница пришла за своей блудной дочерью сразу же, как только узнала о ее местонахождении и положении. Груша вернулась домой и в пятнадцать лет сама стала мамой — других вариантов для нее не было. Олега она больше никогда не видела, да и не хотела видеть.

Зачем коту копыта?

Кошмар вернулся к Груне (мамы ее к тому времени уже не было) пятнадцать лет спустя, когда ее дочь, Олеся, повторила ту же ошибку с одним лишь отличием — она забеременела от мальчика из приличной семьи. Игорь не собирался от нее сбегать, а хотел жениться на Олесе. Влюбленные расписались. Но через год разбились на машине, подаренной родителями жениха на его восемнадцатилетие.

Хрупкий мир Груши в одночасье разлетелся на мелкие осколки. Тогда-то к ней и пришла пожилая, с серым от горя лицом женщина — Серафима Ильинична, мама погибшего Игоря (отца же его разбил инсульт, мужчина не перенес трагедии и стал глубоким инвалидом).

— Ну, здравствуй.

— Здравствуйте, — разлепила белые губы Груня.

— Сколько тебе лет?

— Тридцать два.

— Господи, совсем молодая, у тебя все еще может быть.

— Не смейте такое говорить! Я не хочу ничего!

— Помолчи и успокойся, — прервала ее Серафима Ильинична. — Да, мы чужие друг другу люди, но нас свела судьба благодаря нашим детям, а теперь соединило горе. Ты родила рано, а я поздно. Кроме Игорька, у меня тоже других детей нет, только мне на двадцать лет больше, чем тебе, у меня муж инвалид и больное сердце. И единственное, что меня еще держит на этом свете, — внучка. Ей всего годик, и ей нужна семья! Ребенок не может ждать, когда ты придешь в себя после пережитого, Анюту могут забрать от нас в детский дом.

Слова Серафимы Ильиничны произвели на сознание Груши эффект разорвавшейся бомбы, эффект ледяного дождя на горячее тело. Нет, она помнила, что у нее есть внучка, которая осталась с родителями мужа дочери, но не могла, не хотела ничего и никого видеть, полностью растворившись в своем горе.

А дальше случилось невероятное. Они с Серафимой Ильиничной объединились в семью ради маленькой девочки. Груша переехала жить в трехкомнатную квартиру родителей Игоря и удочерила Анну. Серафима и ее муж Григорий Алексеевич стали для крошки дедушкой и бабушкой, что подходило им по возрасту и по ощущениям.

— Теперь у нашей Ани почти полный семейный комплект, — радовалась мудрая женщина Серафима Ильинична. — Хотя я буду тебя немного ревновать к нашему ангелочку, но зато смогу баловать, как все бабушки. А когда малышка вырастет, мы расскажем ей о ее родителях, своих юных детях, которые так трагично рано ушли из жизни.

В такой вот мирной, дружной и любящей семье они и существовали уже пять лет. Именно эту, не совсем стандартную, вернее, необычную ситуацию имела в виду Алиса, говоря о том, что судьба ее подруги Груши «похлеще, чем в сериалах». Жили они более чем скромно. Григорий Алексеевич так и остался парализованным, говорил плохо. Он требовал ухода по болезни, Анютка требовала ухода в силу возраста, поэтому Серафима Ильинична ушла с работы, не дослужив до пенсии два года. Именно на ней лежала забота о двух нуждающихся в ее помощи людях. А на плечи Груни легла нелегкая доля кормилицы, добытчицы средств для себя и еще троих человек, ставших ей очень близкими.

Вот только прыгнуть выше головы она не могла, поскольку зарабатывала не слишком много. Понятно ведь, оклад художника-декоратора при небольшом Доме культуры отнюдь не миллионный. Иногда ее приглашали для оформления каких-то шоу в ночных клубах или помощником именитого художника. Но помощник всегда получал как помощник, львиную долю гонорара забирал мастер, однако Аграфена всегда была рада любому приработку. Она бралась за все, а вечерами еще и писала картины маслом на всевозможные темы. Для души — пейзажи, по заказу — портреты, на потребу толпе даже сюжеты с эротическим уклоном. В общем, на жизнь хватало. Хватало на дорогие лекарства для дедушки, на оплату коммунальных услуг, на бензин для старенького «Сааба», на ежегодный отдых в Крыму и еще на кое какие мелочи.

Груша была очень красивая женщина — среднего роста, с прекрасными светлыми волосами, яркими глазами и стройной фигуркой. Толстеть ей было некогда, она все время была в движении, постоянно в заботах, в бегах, порой и присесть некогда бывало. Естественно, и задуматься о себе было недосуг. Одевалась она очень нестандартно, как художницы, сочетая совершенно несочетаемые, казалось бы, вещи и смешивая яркие цвета, носила крупную бижутерию (друзья ей часто дарили такие вещи), могла ярко накраситься и при этом не выглядела вульгарно. Аграфена была очень добрым человеком, все время старалась помочь другим людям, но при этом бывала резковата и прямолинейна в общении, всегда говорила правду в глаза.

И вот однажды сидели они за кухонным столом с Серафимой Ильиничной в двенадцатом часу ночи и беседовали на тему, о которой Груня не думала много лет.

— Почему так поздно? — спросила Серафима, накладывая ей винегрета и ставя разогревать в микроволновку тарелку с ужином. — Ты прямо уже как тень отца Гамлета домой притаскиваешься...

— Гример в театре заболел, меня попросили подменить. Как я уйду? Я же — единственная художница.

— Театр! — фыркнула Серафима. — Твоего мистера Колобкова-неудачника? Что это за театр? Я понимаю, если бы ты работала в Большом!

— Чего захотела, в Большом... Там свои люди, туда абсолютно не пробиться без связей и блата. Я вот сколько работаю, заняла свою нишу, но без связей на приличное и хорошо оплачиваемое место не устроишься.

— Ты прекрасная художница. Это даже не мое мнение, а авторитетных людей, я слышала, как они говорили. — Серафима налила Груне домашнего компота. — Сама-то я в живописи ничего не понимаю, но и мне нравятся твои картины. Только вот в последнее время...

— Что?

— Они у тебя стали темнее, мрачнее, что ли. По краскам видно. Интересно почему?

— Да? — удивилась Груша. — Я как-то не замечала. Но взгляд со стороны всегда свежее. Я подумаю, в чем причина таких перемен.

Зачем коту копыта?

— А чего тут думать? Я тебе со свежим взглядом на этот вопрос отвечу. Ты же на грани нервного срыва! Посмотри на себя — кожа да кости, одни глаза, смотреть страшно! Скоро падать начнешь, твои громадные украшения притянут тебя к полу. Ты, Груша, просто-таки загнала себя в угол: работа, работа, заказы, заказы...

— А как же? Как будто тебе легко, — вздохнула Аграфена, вяло ковыряя вилкой винегрет в своей тарелке.

— Я — другое дело. И не обо мне речь. Посмотри, ты сидишь уже десять минут за столом, а съела один квадратик свеклы и две горошинки. И это за целый день! Дивно, ничего не скажешь. Кофе по сто чашек и одна сплошная работа! Разве так должна жить женщина в твоем возрасте? Ты мне в дочери годишься, ты же еще совсем молодая! Где твоя личная жизнь? — задала вопрос в лоб Серафима Ильинична.

Аграфена поморщилась и пожала плечами:

— Зачем ты об этом? Я сама себе не задаю такой вопрос, и не хотелось бы его слышать от тебя.

— А я тебе не чужой человек и болею за тебя всей душой! Переживаю за тебя! Я хочу, чтобы у моей внучки была счастливая мать! Кто еще тебя встряхнет, если не я? Ты же получила исключительно отрицательный опыт и эмоции. Ну, ладно, глупой девчонкой, когда не понимала ничего, забеременела, родила. А потом...

— Потом у меня появился ребенок, стало не до личной жизни. Период дискотек у меня прошел под флагом пеленок. Позже пыталась построить карьеру, но не очень продвинулась на этом поприще. Хотя тут, наверное, не моя вина. Честное слово, я старалась.

— Это и я подтверждаю, — согласилась Серафима Ильинична.

— Худо-бедно, но мы с дочкой как-то существовали. А затем... Затем Анечка у меня, вернее, у нас появилась. И снова пришлось работать, чтобы нас всех содержать. Знаешь, Серафима, как-то не было у меня никогда возможности заняться собой. Может, такова вообще моя судьба?

— Ужас что ты говоришь! Все это очень плохо! Ты никогда не была замужем, не была любима и не любила по-настоящему. Трагедия, которая в нашей семье произошла, чудовищна, но раз уж ты осталась жить, то ты должна жить полноценно!

— В твоих устах это звучит сродни тому, что я должна иметь мужчину.

— А разве нет? Наоборот, в твоем возрасте не иметь мужчину ненормально. Да, у тебя была психологическая травма, но она уже переросла в болезнь, а ее надо лечить, — настаивала Серафима.

— Ну, не знаю. Просто я как-то их, мужчин, и не видела. И не вижу. Поэтому вопрос это тупиковый для меня, — вздохнула Груня, заставляя себя хоть что-то положить в желудок, чтобы не обидеть Серафиму.

— Вокруг же люди! — возразила та.

— Вроде да. Даже много людей.

— И среди них много мужчин, — справедливо отметила Серафима Ильинична.

Груня задумалась.

Если честно, актеров она вообще не рассматривала как мужчин. Многие из них были либо какието пафосные, либо бабники, а еще приверженные к вредным привычкам да с тяжелыми характерами,

у которых все зависит от настроения. На ее глазах творились какие-то мелкие шашни, перераставшие в склоки, и даже ради великого таланта она не связала бы свою жизнь с актером. Люди из художественной среды тоже весьма своеобразны, Аграфена общалась с ними как с друзьями, коллегами, не более того. К тому же и у актеров, и у художников жены часто менялись, а она не хотела становиться одной из многих. Бывали в ее жизни совсем уж омерзительные моменты, когда пара-тройка мужей подруг тянули к ней потные руки, бормоча: «Чего ломаешься? Жена ничего не узнает!» От таких обычно дышащих перегаром героев-любовников она старалась держаться подальше.

Еще Груша общалась со своим начальником, режиссером частного театра Эдуардом Эриковичем Колобовым — мужчиной слегка за пятьдесят и уже раз восемь (только официально) женатым. Бабник он был просто несусветный, сам это знал, каялся, но и поделать с собой ничего не мог. Естественно, режиссер «подбивал клинья» и к Груне, но та сразу отказала, и они, как ни странно, остались друзьями.

Ее подруга Алиса была женщиной разведенной и периодически не брезговала связями с женатыми мужчинами, в общем, жила так называемой нормальной жизнью. Только ребенка не могла никак родить, почему-то пребывая в полной уверенности, что с ней все в порядке, а вот «мужик измельчал»...

— Июнь скоро, — вздохнула Серафима, сменив наконец тему.

— Машина на ходу, — откликнулась Груня, понимая, к чему та клонит.

Каждое лето она вывозила Серафиму, ее парализованного мужа и дочку на дачу, когда-то принадлежавшую ее маме. Ребенок проводил там три месяца с июня до сентября, пока садик на летний период закрывался. В нынешнем году Аграфена с Серафимой Ильиничной долго спорили, отдавать Аню в школу с шести лет или с семи, и все же решили не лишать ребенка детства, дать девочке еще год побыть в подготовительной к школе группе.

— Это лето, потом садик, еще лето и школа, — перечислила сейчас Серафима. — Дождались, скоро наша ягодка пойдет в школу. Вот событие будет первое сентября! И пойдут по улице с цветами три женщины: маленькая, средняя и пожилая. Видишь, что за пейзажик? Только не хватает в нем одного — мужика. Анне рано еще, у меня — муж живой, хоть и инвалид, остаешься только ты.

— Ради исправления пейзажа подумаю, — засмеялась Груня, обещая сама не зная чего.

— Ага, отвезешь нас на свежий воздух — и подумай серьезно, — закивала Серафима Ильинична. — Как всегда, будут и воздух, и солнечные ванны, и купание в речке, и черника с малиной, клубнику еще посадили... А тебя будем ждать по выходным, как всегда, с гостинцами. А в отпуск когда к нам приедешь?

— Не знаю, Сима, может, в июле возьму. В середине лета дышать в Москве совсем нечем.

— Сильно-то тут не напрягайся. Я ж тебя знаю, готовить себе вовсе не станешь. Вечно голодная будешь — разговоры-то разговаривать не с кем. Сейчас, вон смотри, пока болтали, ты хоть винегрет съела, впихнула в себя через не хочу.

— Да, без тебя мне плохо будет. Но главное — ребенка из Москвы на лето вывезти, — улыбнулась Груня.

— Пожалуй, надо Лариску попросить за тобой присмотреть, — продолжала размышлять Серафима.

— Ты имеешь в виду Алиску? — поправила ее Груня.

— Тьфу ты, и то верно. Что-то я совсем в последнее время... Старость уже. Надо бы Анюте велосипедик, а нам газа завезти да крыльцо подправить, а то, боюсь, ребенок покалечится. Может, там найду мужика какого, чтобы подешевле?

— Я заработаю, и обязательно все починим.

— Местный Федор по три тысячи за ступеньку просит, но гарантирует двадцать лет эксплуатации.

— А сколько у нас ступенек?

— Пять.

— Ого! Ну, ничего, заработаю. Все будет хорошо. Летом в театре тяжелая пора, спектаклей — ноль. Именитые труппы на гастроли выезжают, что-то зарабатывают, а нас никто не приглашает. Летом трудиться — просто в ущерб себе. Придется написать что-нибудь в стиле «ню». Не люблю я это, но ради денег...

— Горе ты мое! — взяла ее руку в свою Серафима.

— А знаешь, Сима, мы очень счастливые люди, что мы вместе.

— Я знаю. Кто бы сомневался...

Глава 2

Аграфена очень любила атмосферу театра, его запах, его энергетику. А энергия в театральных стенах витает потрясающая. Человек, посмотревший хороший спектакль, будет хранить о нем впечатления много лет, а эмоции, которые он испытал, останутся здесь. Таких спектаклей в год проходит несколько сот, и вся эта энергетика скапливается в одном месте. И восторг, и слезы, и треск досок на сцене, и кашель музыканта... Как будто висят в воздухе, и тонко чувствующий человек может их ощутить в атмосфере пустого театра. Аграфене даже казалось, что воздух в театре более тяжелый, густой и вязкий, чем где-либо еще. Если, конечно, такие определения можно применить к воздуху.

И вот появившаяся пятого июня в театре Аграфена вдруг ощутила эту тяжесть и вязкость воздуха. Но виной тому были не эмоции зрителей на игру артистов, выкладывавших душу. Банально пахло луком, чесноком, табаком, алкоголем и какой-то «жарехой».

Она даже слегка оторопела от развернувшегося перед ее глазами.

Прямо на сцене стояли столы, сдвинутые не то чтобы буквой «П» или «Г», а вообще буквой не из русского алфавита, скорее каким-то иероглифом китайским. То есть столы были расставлены в хаотичном порядке, чтобы смогли сесть все. И чего только на тех столах не было! Нарезка колбас всевозможной расцветки в зависимости от содержания красителей, нитритов и бумаги в своем составе; связка сосисок в полиэтилене; оливки и шпроты, не переложенные в приличные емкости, а прямо так, в консервных банках с поднятыми вверх недоотрезанными крышками; сыр тоже в нарезке, но явно с помощью тупого ножа — огромными, толстыми ломтями; огурцы, помидоры в свежем состоянии и в соленьях; салаты домашнего приготовления и корейская морковка, как же без нее... Кое-где красовались вазы с фруктами, то есть с виноградом и откусанными уже яблоками, так как плоды были настолько жесткими и кислыми, что людей хватало только «на попробовать».

В данный момент главный режиссер театра Эдуард Эрикович Колобов, в простонародье Эдик, который в принципе должен был быть интеллигентным человеком, резал огромный шмат сала, устроившись за центральным столом. Сначала лезвие шло нормально, а потом завязло на корочке, и каждый раз он выкрикивал матерное ругательство, но все-таки дорезал до конца под аплодисменты пирующих. То, что дорезал прямо на столешнице, никого не волновало.

Собравшиеся уже находились в невменяемом состоянии — количество пустых и еще непочатых

бутылок, заполонивших все поле боя, поражало воображение. Аграфена оторопела от всеобщего веселья.

— Груня! — зычно заорал режиссер, заметив вновь прибывшую. — Ты сдавала тыщу на заключительный банкет?

— Сдавала. А это и есть заключительный банкет? Мы же вроде в ресторан собирались. Я даже платье специально купила...

— Так что тогда стоим? Чего ждем? Особого приглашения? Какого черта опаздываем? Какой там ресторан! Везде такие деньги за аренду запросили, что мы решили общими силами сами отпраздновать. Платье она купила... Слышите, люди? Да лучше всего ты будешь без платья! Га-га-га... Мы сегодня празднуем закрытие сезона. Похоже, до сентября мы, Груша, в свободном полете.

Вопрос «Как до сентября?» застрял у Аграфены в горле. Ее подхватили под руки и подтащили к столу. С диким криком «Между первой и второй перерывчик небольшой!» ей всунули в руки сразу две рюмки и не отпустили ее хрупкие, слабые локти до полного их осушения. Груня даже задохнулась. Тут же ей в рот был засунут кусок какой-то из многочисленных колбас, не прошедших проверку в лаборатории в программе «Контрольная закупка», а затем внимание к ней, слава богу, поутихло. Люди застучали своими рюмками и стаканами и дружно зачавкали, поглощая закуски.

Аграфена осмотрелась. Она вытерла слезы, появившиеся после принятия внутрь водки производства неведомого «завода», а также от попавшего в рот вместе с колбасой красного, жгучего перца. В основном за столом присутствовали все знакомые лица — сотрудники театра, начиная от ведущих актеров и заканчивая уборщицей и билетершей. За что Груня любила своего режиссера, так именно за его равное отношение к людям. Закрытие и открытие сезона были для их коллектива два святых праздника. Тогда и вино, и водка лились рекой, закуска покупалась с размахом. Вот на такое «представление» она сейчас и попала, сразу же влившись с помощью водки в круг знакомых дружественных лиц.

— Ура! За Татьяну Ветрову! За нашу звезду-героиню! — неистовствовал режиссер, не отлепляясь от куска сала и периодически срываясь на мат в момент отрезания корочки.

Героиня, женщина лет сорока пяти, но выглядевшая много моложе, в белокуром парике набекрень, позаимствованном явно с двойника Мэрилин Монро, принимала комплименты в свой адрес. Если честно, актриса она была никакая, но зато обладала внешностью и сексуальным темпераментом, что в свое время оценил режиссер театра, о чем всегда шептались в кулуарах. С Татьяной Эдик, известный бабник, продержался даже дольше, чем на один раз и одну ночь. Они вместе продержались год, а потом не выдержали и начали изменять друг другу, ударившись во все тяжкие. Но примой Татьяна осталась благодаря своему таланту — не актерскому, а, как уже говорилось, сексуальному. Если в театр приходили какие-то проверяющие, например пожарный инспектор или инспектор по технике безопасности, сразу же в бой кидали Танечку Ветрову, обладающую способностью очаровать любого мужчину. И дело было сделано, документы подписаны, а Таня ехала в номера под аплодисменты и крики «Браво!». Такое положение, скорее всего, ей даже нравилось. Человек она была неплохой, только сильно любила мужчин, но это, пожалуй, и недостатком-то назвать нельзя, а так, маленькой погрешностью в морали и нравственности.

— Выпьем за нашего героя-любовника Николая Еремеевича! — продолжал неистовствовать режиссер.

С главным героем-любовником, ведущим, так сказать, артистом, ситуация была совершенно другая. У Коли имелся несомненный актерский талант, но вот внешности — никакой. Он был маленького роста, полный, с лысеющей головой и грустным взглядом старого бульдога. Еще сходство с названной породой дополняли обвисшие щеки, совершенно нездоровый цвет лица и темные круги под глазами, которые уже не маскировал даже грим. Зато своей игрой он зрителя «пробивал», ему верили, несмотря на внешность. Короче, ни на супергероя, ни на Казанову, ни на рыцаря актер не тянул. К тому же Николай Еремеевич очень сильно злоупотреблял спиртным. Даже так скажем — очень, очень сильно. И те самые немаскируемые круги под глазами и нездоровый цвет лица были тому свидетелями. Более того, не раз герой-любовник позволял себе выйти в пьяном виде на сцену. На его счету имелись и штрафы, и предупреждения, и строгие выговоры. Но уволить артиста не осмеливались — он был одной из немногих звезд в театре по таланту, к тому же несколько раз засветился в кино и сериалах, и на него шел зритель. В данный момент герой-любовник уже лежал своим некрасивым лицом в салате.

Кстати, не он один находился в таком положении. Режиссер перечислял еще какие-то фамилии, и каждый раз названные доставали лица из тарелок, находили в себе силы, чтобы поднять рюмку с водкой и поддержать тост. Что-что, а коллектив в театре был достаточно дружный и незлобливый.

— За восходящую звезду Настеньку Ермакову! — поднимал следующий тост Эдуард Эрикович, плотоядно улыбаясь.

— Ура-а-а!!!

Настя Ермакова пришла к ним совсем недавно и пока все свои таланты показывала только в кабинете режиссера театра и его же директора. Ходили слухи, что в театральный институт она поступила по блату и по блату же его окончила. А потом ее не взяли ни в один театр, ничего не увидев в ней как в актрисе. Вот так Настя и оказалась у них. Девочка была молода, глупа, улыбчива и обладала весьма впечатляющим бюстом, что являлось ее несомненным достоинством. А уж сколько было разговоров, пересудов и споров на тему, настоящая у нее грудь или силиконовая! Такие бы страсти да на сцену...

— А еще я хочу выпить за нашу чудо-художницу Аграфену Пичугину! — возопил режиссер. — Не знаю, что бы мы делали без нее! Вспомните наши красивые и стильные декорации, великолепные костюмы, которые она умудряется сшить вручную, чтобы сэкономить наш бюджет. А ведь как профессионально все получается! Из ткани не самой дорогой, а выглядят очень достойно. Груня и ваши морды гримирует, и украсила наше фойе. Ну, просто умница, мастерица на все руки! За ее талант, за ее видение мира, за находчивость и за то, что она не оставляет нас! Ура-а-а!!!

Танечка Ветрова поправила парик и добавила:

— Я еще желаю ей счастья в личной жизни. Это ненормально, когда такая молодая и красивая женщина все время говорит «Нет». Надо бы и «Да» уже сказать. Ты же живой человек или нет?

— Живой, — кивнула Груша, наблюдая за полностью расплывающимся изображением перед глазами. — Ик! Вроде...

— Эх, не знаю, куда мужики смотрят, — вздохнула Татьяна и опрокинула рюмку, как заправский выпивоха.

К тому времени, когда режиссер перечислил всех, не забыв даже уборщицу с билетершей, Груша уже ничего не соображала, хотя делала всего по одному глотку за каждый тост. Коллектив вроде не был большим, но водка делала свое дело.

Затем кто-то завел заунывную песню про погибшего в ущелье казака, так и не вернувшегося к своей девушке. А та все ждала, ждала...

— Слушайте, а повеселее у нас в репертуаре ничего нет? Ну, невозможно слушать! — возмутился кто-то. И тут же народ затянул совсем другую песню: «Ах, какая женщина! Кака-я-я-я! Женщина!!! Вот и мне бы... мне бы такую-ю-ю-ю-ю!»

Груня, у которой был музыкальный слух, нахмурилась.

— Ужас...

Над ней нависло красное лицо Танечки Ветровой.

— Еще один сезон закончился. Просто кошмар как время летит. А давно ли начало праздновали?

— Я про то же подумала. И каждый раз об этом думаю. Время летит... — согласилась с ней Аграфена.

— Для меня лето — страшный период, — зашептала ей на ухо Татьяна. — Я не знаю, что мне делать, и совершенно расклеиваюсь. Весьма трагичная ситуация, когда я никому не нужна. Ведь без сцены не могу жить. Вот и затаиваюсь... И снятся мне страшные сны, будто стою я перед дверьми театра, а они все не открываются, и сентябрь не приходит никогда...

— К-к-акая женщина-а-а-а!! Мне б такую-ю-ю! — продолжал кто-то выть, потому что пением такой вопль нельзя было назвать ни при каких условиях.

— То есть уже наступил сентябрь, а театр не открывается, и я просыпаюсь в холодном поту, — продолжала Татьяна с дрожащими руками.

— Успокойся, Таня! Все будет хорошо! Три белых коня...

— Чего?

— Я имею в виду, что три месяца пролетят, как три коня проскачут... Ой, Таня, что я несу, это же про зиму. Голова болит.

— Ничего, завтра на работу не надо, отоспимся. Ох, Груня, нам теперь долго не надо на работу! Как же я выдержу? Тебе-то хорошо!

— Такая женщина... Мне бы такую-у-у... — упорствовал кто-то.

— Чем же это мне хорошо? Я так же, как и ты, остаюсь без зарплаты. В летний период нам только по пять тысяч довольствия дают, а когда спектакли, по двадцать пять, а то и больше выходит. Есть разница?

— Копейки! Все — копейки! — театрально закатила глаза Татьяна. — Но ты подработать можешь, карти-

23

ну, там, нарисовать и продать, хоть что-то. А вот мне что делать? Ведь не Новый год, чтобы Снегурочкой побегать.

— Мне б такую-ю-ю-ю... — снова донесся вопль.

— Нет, это невозможно слышать! Бабы, хоть кто-нибудь, дайте ему уже! — выкрикнул чей-то голос под общий смешок.

Таня странным движением сильно выпившего человека закинула руку над столом, словно удочку над озером, и зацепила кусок ветчины. Затем она не с первого раза попала этой ветчиной в рот и зачавкала.

— Ты думаешь, Груня, что я дура?

— Нет, что ты! Я никогда так не думала!

— Что без таланта? — продолжала Татьяна.

— Таня, ну давай не сейчас. И так настроение на нуле, — поморщилась Груня, не желавшая вступать ни в какие пьяные разборки.

— Да я и так знаю, что вы про меня думаете, — махнула рукой Ветрова. И еще больше понизила голос: — Считаешь, я сама это не понимаю? Я ведь сто раз пробы проходила в разные места, я имею в виду искусство, и ни разу не прошла. По молодости-то можно было решить, что меня недопоняли, не разглядели, а теперь сорок пять — ягодка уже сморщенная или скорее забродившая. Но мозги-то увеличились и просто давят на череп! Поэтому у людей постарше и появляется давление — от работы мозга и накопленного опыта. Я — не медик, но точно тебе говорю. Конечно, я понимаю, что нет у меня особого таланта, а вот желание блистать на сцене всегда имелось просто дикое. Потому и работаю до сих пор в театре. Мужиков у меня было более чем, — изобразила Татьяна жест «выше крыши», — поскольку я на лицо смазливая. Тем и пользовалась, так как других талантов не было, зато при любимом деле держалась, так что ни о чем не жалею, — горько усмехнулась прима-героиня. — А сейчас вижу, что старею.

— Таня, прекрати! Ты еще о-го-го!

— О-го-го это в двадцать лет. И и-го-го было в тридцать лет. А на пятом десятке, дорогая моя, уже трудно. Я же чувствую ослабление интереса со стороны мужчин ко мне. Я же эмоциональна и чувствительна. Но не двадцать лет, увы! А миллионы молодых девчонок уже подросли и созрели. И это ужасно печально. — Татьяна вдруг упала художнице головой на плечо, словно та внезапно перестала держаться на шее, и заплакала. Аграфена растерялась. А актриса шмыгнула носом и подняла зареванное лицо.

— Вон, посмотри на него!

— На кого? — не поняла Груша.

— На Эдика, конечно! Сидит, развлекается, глаза горят, слюни текут... А рядом кто?

— Кто? — не могла сфокусировать взгляд художница.

— Не тупи, Груня! Глаза-то разуй! — прикрикнула на нее Ветрова.

Аграфена сконцентрировалась. Директор театра, он же главный режиссер, сидел во главе стола, отпуская шутки, анекдоты и громко смеясь, то есть, как он сам выражался, балагуря. Эдуард Эрикович, несомненно, был душой любой компании и видным мужчиной — такой высокий, большой, полный, с кудрявыми волосами, длинными и лохматыми. По всему было заметно, что Колобов еще и бабник, хоть уже

и стареющий. С одной стороны от него сидела молоденькая гримерша Яна, а с другой — молоденькая же
актриса Настя Ермакова. Обеих он щипал, целовал
в щечки и периодически подливал им вина в водку.

— Вот видишь, с кем сейчас Эдик? — прошептала
Таня. — Как бы я ни молодилась, как бы ни вела себя,
будто мне все нипочем, а он — с молоденькими. —
Прима снова отправила в рот кусок колбасы.

— Я не знала, что тебя это все еще волнует. У вас
было что-то, но ведь давно... — честно сказала Груня.

— Мы просто мало с тобой общались. А зря! Но ты
хорошая тетка, Груня!

— Спасибо.

— Не за что. Надеюсь, ты никому не расскажешь,
что я до сих пор сохну по Эдику? Хотя... Может, меня
только сейчас так вот пробило, а завтра я встану и не
вспомню о нем! — гордо тряхнула актриса искусст-
венной прической, и парик совсем потерял ориентацию у нее на голове.

— Я — могила! — заверила художница. — Только,
насколько мне известно, ты сама от него ушла,
и Эдуард сильно переживал. Ты была единственной
женщиной, после ухода которой он переживал, а не
вздохнул с облегчением, как обычно. Так говорили...

— Это так... Но я жила с ним год и все время боялась, когда он мне сделает ручкой. Я испугалась, дура,
и решила опередить «прекрасный» момент расставания, — вновь пустила слезу Татьяна.

— Захотела бросить первой? — догадалась Аграфена. — Правда дура. Так, может, вернуть все обратно?

— Издеваешься? Время упущено. Ты разве не
видишь, что подрос второй состав? Зная Эдика, скажу:

его можно взять молодым телом, а не задушевными беседами, уж точно.

— Не говори глупостей, Таня! Ты — это ты. Давай выпьем? — неожиданно для себя предложила Груня. — За любовь? За надежду? За то, что не все еще, может, потеряно?

— Давай! — тряхнула опять головой Ветрова. — А ты не будь такой же дурой, как я. Учись на чужих ошибках.

— В смысле? — покачнулась Груша. — Тоже спать с Эдиком? Не хочу! Я того... тоже уже не попадаю в лунку... то есть в первый состав...

— Тьфу, дура! При чем тут этот бабник и мерзавец? Да чтоб он...

— Тише, тише! Ты же только что говорила, что любишь его.

— Ну, дала слабинку минутную, я же предупреждала, что все в одночасье может поменяться, а ты и обрадовалась! — Актриса поправила парик и вытерла потное, сальное лицо концом боа из театрального реквизита. — Я тебе говорю — мужика ищи. Сейчас самое время — впрыгивай в последний вагон, успеешь! А я вот в ягодках сорокапятилетних подзадержалась. И вряд ли уже найду своего «грибника» или «ягодника». Если только лешего, выжившего из ума и ничего не понимающего в современной жизни и гламуре. Никакого просвета в будущем! Ни детей, ни мужа, с главных ролей скоро снимут... И что я стану делать на старости лет одна? Сдадут меня в богадельню. Небось даже в интернат для ветеранов сцены не возьмут — не заслужила.

— Таня, прекрати! Мы же выпили за то, что все будет хорошо!

— Все, молчу. За любовь! За нее, проклятую!

— Да когда же это сало, будь оно не ладно, закончится? Я себе палец, кажись, отрезал! Не хотите сальца с кровью? — заорал басом режиссер театра, он же его директор.

Молодые девчонки завизжали от ужаса, а Аграфена подавилась. Татьяна же кинулась к нему, сметая все на своем пути, с криком:

— Подожди, дорогой! Твоя путеводная звезда спешит к тебе на помощь!

«Эта звезда больше похожа на крейсер или даже на ледокол, — подумала Груня. — Наверняка вся ее помощь сейчас будет заключаться в том, что она перевяжет ему руку грязным, засаленным, в ошметках еды боа!»

Потом что-то было еще и за что-то еще... А затем Аграфена отрубилась и больше ничего не видела и не слышала. Было ей сначала хорошо, потом плохо. Все как всегда, ничего не менялось в этой жизни.

Глава 3

Аграфена была очень удивлена. Она почему-то думала всю свою сознательную жизнь, что даже если и есть на свете загробная жизнь и если существует душа, способная покинуть тело, то, возвращаясь в другое тело, она обязательно выбирает человеческое. То есть осуществляется этакое переселение душ из одного человеческого тела в другое. Отсюда и происходят не очень убеждающие разговоры о том, кто кем был в прошлой жизни. То, что она умерла и душа ее отделилась, Груня поняла сразу по дикой боли во всех частях своего тела, в голове в том числе. Видимо, отрывалась от тела с трудом.

«Что ж так больно? Должно было быть легче: туннель, свет и новая жизнь, без низменного и ненужного», — думала она, удивляясь, что вообще способна думать в такой ситуации. Но потом, по звуку копающей лопаты, поняла причины столь резкой боли. Оказывается, ее душа не отлетела в рай, подарив ей редкостные минуты блаженства, а сразу же переселилась в... репку. Вот в чем была обида! Почему-то не в человека, а в овощ, вонючий и жесткий. Да еще такой вредный, который нельзя вытащить из земли просто и надо его тянуть, тянуть... Груню-репку явно кто-то хотел вытянуть. И кричат, и стучат лопатами вокруг... И бабка за дедку, и внучка за дедку, а за того Жучка и кот...

«Когда же все закончится?! — ужасалась Груня. — Просто кошмар какой-то!»

— Позовите мышку, — сказала она, сама не узнав своего голоса, и открыла глаза.

Над ней склонилось лицо режиссера театра.

— Чего?

— Мышку позовите, и уже закончим с этим, — более уверенно произнесла Аграфена.

— Какую мышку?! Не дай бог нам опять мышей под сцену! С таким трудом вывели! — непонимающе моргал глазами Колобов. — Может, Груша, ты проголодалась? Приготовить тебе что-нибудь поесть?

— Ой, меня сейчас вырвет...

— Так ты того, не стесняйся. Многих уже вывернуло. Зато легче станет, — посоветовал ей Эдуард Эрикович, вытирая платком потное лицо. — Я, если честно, испугался за тебя.

— За репку? — уточнила Груша.

— За тебя! — поправил директор-режиссер. — Вся бледно-зеленая такая, фактически не дышишь... Я даже струхнул. Немного отходил тебя по щекам, ты уж извини. Очень обрадовался, что жива, слегка порозовела даже. Или это фингалы будут? Может, и перестарался я с оплеухами-то... Ты, если что, прости.

Аграфена поморщилась и попыталась осмотреться.

— А где мы?

— Где и все, в театре. Вчера как начали праздновать, так вот и... — развел руками Эдуард Эрикович. — Ладно, я пойду дальше, проверю, не потеряли ли мы кого-то на радостях. Нам только работников морга сюда на всеобщее веселье не хватало! Ты давай в себя приходи и Таню растолкай.

— Чего сам не растолкал? — спросила Груня, которую от слова «растолкай» опять замутило.

— Она меня уже стукнула и совершенно нелитературно послала, — пожаловался Эдуард Эрикович и буквально пополз дальше.

Аграфена села и поняла, что хоть она и почувствовала себя репкой, но в положении находилась очень даже неплохом. Во-первых, она была одета, и сие наводило на мысль, что она таки осталась честной девушкой. Во-вторых, лежала на бархатных сиденьях кресел (их подлокотники были подняты) в зрительном зале, в отличие от многих людей, валявшихся прямо в проходе и между сиденьями. Рядом лежала Татьяна Ветрова с капустным листом на лице.

— Таня, — потрогала ее Груня.

— А? Нет!

— Что?

— Боже, как мы напились! Грунька, у меня проблемы.

— Сейчас у всего коллектива одни и те же проблемы, — успокоила ее Аграфена.

— Алкоголь паленый, наверное, был. У меня вон кожа от лица отслоилась, — пожаловалась Татьяна, трогая дрожащей рукой капустный лист. — А для актрисы потерять лицо — смерти подобно. Подходил

Эдик, и я его послала. Наверное, еще не заметил... Что делать, а?

— Это капуста, а не кожа, — пояснила Аграфена, снимая лист с ее лица и еле сдерживаясь, чтобы не рассмеяться — любые сотрясения внутренних органов в ее нынешней ситуации были опасны.

— Правда? Точно, я же забыла, что вчера сама его и положила, чтобы отеков с утра не было, — обрадовалась актриса. — Прямо гора с плеч!

— Ну и погуляли...

— Так радость-то какая!

— Какая?

— Ты что, серьезно не помнишь? — Таня подняла на художницу воспаленные глаза.

— Не-а. Как с тобой говорили, помню, а дальше провал, — честно призналась Аграфена.

— Так ты самого главного не дождалась! Эдуард все в секрете держал, чтобы сюрпризом сшибить с ног. И ему удалось — два человека уехали на «Скорой» в больницу.

— От радости? — усомнилась Груня.

— От нее самой, — утвердительно кивнула Татьяна. А затем торжествующе произнесла: — Дело в том, что он выбил нам работу на лето!

— Летом? Работа? — не понимала Груша. — Гастроли, что ли?

— Ага! Мы уже забыли, как это называется, но в нынешнем году у нас будут гастроли. Это чудесно! Едут фактически все. Ты тоже в списках.

— Я?

— А как же мы без художника? Честно говоря, Эдик хотел сэкономить, но я настояла, — шепнула ей Таня.

Зачем коту копыта?

— Спасибо. А куда едем? В какой-нибудь Урюпинск? Деревня Горелово? Сельский клуб с черного хода, потому что ступеньки на центральном развалились? — спросила Груня.

— Фи! Откуда такое пренебрежение к провинции, душа моя? Оттуда люди едут в столицу, мы к ним. Круговорот! А чем плохо? Отдохнем от суеты, подышим другим воздухом, выпьем самогона... то есть молока коровьего... Тьфу, гадость какая!

— Да нет, я не против, — поежилась Груня, представив молоко с жирной пенкой сверху.

— Здорово я тебя разыграла?! — Татьяна своим громким возгласом просто взорвала мозг Груше. — Мы едем за границу. В Будапешт. Понятно? За границу! Вот это будут гастроли!

— В Будапешт? — оторопела Груша. И промямлила: — Это несомненно интересно.

— Ничего себе, интересно ей! Это же город на Неве, тьфу, то есть на Дунае, колыбель многовековой европейской архитектуры. Одним словом, заграница, а не какой-нибудь там Мухосранск. Все решено! Мы летим завтра!

— Как завтра?

— А что? Паспорта у всех есть. Помнишь, режиссер интересовался их наличием на одной из репетиций? Мы еще ему принесли свои документы, показали в надежде, что спонсор отправит нас за границу. У кого не было, сделали тогда. Потом вроде сорвалось. Но, оказывается, Эдуард Эрикович не оставил эту затею, а продолжал действовать, только втихую, чтобы не сглазил никто, и вот устроил нам такой сюрприз. Визу Евросоюза всем сделали,

паспорта готовы, лежат у Эдика, так что завтра летим в Бухарест.

— Куда?!

— В Бу-ха-рест, — радостно улыбнулась Таня.

— Так в Будапешт или Бухарест? — не поняла Аграфена, которую известие настолько озадачило, что она забыла на некоторое время, как плохо себя чувствует.

Между тонких, выщипанных фактически до одной ниточки, а потом почему-то опять нарисованных карандашом бровей Татьяны пролегла морщинка, несмотря на регулярные инъекции ботокса.

— Как же это он вчера говорил? Едем в Будапешт... Нет, едем в Бухарест. Буда... Буха... Не помню. Ой, что-то плохо мне, Груня, еще столько дел надо успеть сделать... Какая разница?

— Как это — какая разница?

— Если полетим в любом случае, то какая разница куда? — отмахнулась Татьяна, разглаживая лоб пальцами. — Не будь занудой!

И актриса, приняв гордую осанку, поплыла по проходу, брезгливо посмотрев на бесчувственно лежащую Настю Ермакову и притулившуюся рядом с ней гримершу Яну.

— Эх, молодежь! Расти им еще до нас и расти! — вздохнула прима Ветрова, бросив уничтожающий взгляд на подходящего Эдуарда Эриковича, и со словами песни «Не ходи с ним на свидание, не ходи, у него гранитный камушек в груди» удалилась из зала вовсе.

Режиссер усмехнулся.

— Ну и язва! Но как держится! С каким достоинством! Богиня! Не зря я ее, змею, в свое время пригрел на собственной груди.

Аграфена, увидев все это и услышав, тоже бы усмехнулась, если бы могла двигать хоть одной мышцей своего тела или лица. Окружающая действительность напоминала ей какой-то нескончаемый фильм ужасов. А Эдуард Эрикович выступал в роли главного героя, который ходил огромными шагами по полю боя и своими огромными ручищами проверял, живы его люди или нет. Хотя нет, не так. В свете последних, модных тенденций — остались люди людьми или уже переродились в вампиров и оборотней, подействовала ли вакцина или вирус оказался сильней?

— Да, ну и погуляли вчера... — покачал он своей большой головой, только что не перекрестившись. Затем пожаловался Аграфене: — А уж когда узнали, что на заграничные гастроли летим, то вообще у всех крышу сорвало.

— Хорошо, хоть я до этого торжественного момента не дотянула, раньше отрубилась, — откликнулась Груня. — Но ты тоже даешь! Такой секрет в себе держал, а потом на головы ничего не подозревающих людей вывалил, как ушат холодной воды вылил. А вдруг кто-то не может лететь? Вдруг у него какие-нибудь планы?

— Вот только от тебя я не хочу ничего подобного слышать, — поморщился режиссер. — Ты летишь по-любому.

— Почему?

— Пойдем, Груша, поговорим. — Колобов ухватил ее под локоток и повел по проходу к своему кабинету.

— Обязательно сегодня?

— Завтра вылет! — напомнил Эдуард Эрикович, заворачивая за угол и открывая кабинет. — Присаживайся! Как тут душно... — Он открыл окно и плюхнулся в кресло. — Минералки?

— Не откажусь...

— Мне историю одну рассказать тебе надо.

— Я слушаю. Только не долго, пожалуйста.

Колобов наполнил два стакана, поудобнее устроился в кресле и закурил. Груше это не понравилось, поскольку такое начало могло означать, что рассказ может оказаться длинным, а ей этого совсем не хотелось в данный момент.

— Нашел меня не так давно один приятель, Марк Тарасов. Мы с ним вместе учились, черт знает когда, на режиссерском факультете. Очень интересный, кстати, парень был, многообещающий, не то что я, — усмехнулся режиссер и выпустил в потолок струю дыма.

Груня медленно пила холодную воду, чтобы хоть как-то унять тошноту, а от монотонного голоса Эдуарда ее стало клонить ко сну. Кроме того, болели и ныли затекшие от неудобного лежания конечности.

— Мы студентами еще полетели неожиданно за границу, и не куда-нибудь, а во Францию. Тогда это было немыслимо даже представить себе, но вот попали мы под какую-то показательную программу развития творческой интеллигенции. Мы были юны, полны планов, самонадеянны и вот попали в Париж. Тут все и началось — у нас просто сорвало крышу от прелестей жизни «загнивающей буржуазии». А закончилось не так захватывающе — Марк попросил там убежища, и нас всех быстренько угнали на родину и больше уже

36

не отправляли в подобные поездки. Тогда мы были страшно злы на Марка, но с возрастом поняли: это был его выбор, и он его сделал. Конечно, не подумал о том, что нас потом затаскают по соответствующим органам... А может, считал, что нас не тронут или что прессинг будет не таким уж сильным. Да что говорить! Может, совсем ни о чем не думал! Я не видел его почти тридцать лет. Целая жизнь прошла, я ничего не слышал о Марке, и вдруг он объявился. Я, честно говоря, даже не узнал его. Заходит какой-то дряхлый, болезненного вида человек... А ведь мы с ним ровесники. В общем, я очень удивился. Мы с ним тогда долго сидели, разговаривали. Оказывается, все это время жил он в Европе, на родину решился приехать только сейчас. Ничто его здесь не впечатлило, и Марк с удовольствием собирался уехать домой, в Венгрию, где в данный момент обосновался. Тарасов стал очень богатым, дважды был женат... Если честно, я так до конца и не понял, чем конкретно он занимается по жизни, но в том, что как-то связан с творчеством, уверен. Например, Марк открыл в Венгрии театр для русских, маленький, но посещаемый бывшими выходцами из Союза. Видимо, бывших наших все-таки мучает тоска, если не по родине, то хотя бы по русскому театру. Вот он-то и пригласил нас к себе на месяцок погостить и дать пару спектаклей.

— Интересно, — не удержалась от реплики Аграфена.

— Что?

— То есть ты хочешь сказать, что нас не какой-то театральный фонд, не государство пригласило, а частное лицо?

— Ну, да... Какая разница?

— Всю труппу? Да еще и меня, декоратора? И гримера, и еще обслуживающий персонал?

— Да, что такого-то? Пригласили же... Его проблема! — не понимал Эдуард Эрикович.

— И твой Марк Тарасов готов месяц содержать столько народа? Или мы за свой счет должны там существовать? — уточнила то, чему так удивилась Аграфена.

— Так он, я же говорил, очень богатый человек. Это — раз. Два — театр его собственность, три — Марк что хочет, то и делает, он очень хочет пообщаться — четыре, с русскими пообщаться — пять, у него большой дом — шесть, то есть мы там все разместимся. Да, может, Тарасов вину свою перед смертью загладить хочет! Убедил?

— Убедил. То есть мы будем на полном обеспечении?

— На полном. Мало того, Марк нам заплатит за спектакли.

— То есть мы еще и заработаем? — семимильными шагами приходила в себя Груня.

— Похоже на то.

— То есть нам безумно повезло?

— Конечно! Нет, покупку платьев и духов тебе никто оплачивать не станет, на них уж трать свои сбережения. А вот кушать и жить — пожалуйста! И зарплата будет.

— Это я понимаю, — с трудом кивнула художница, расплескав на себя воду.

— Летим завтра.

— А я тут при чем? Эдуард, давай договоримся так: я подъеду к вам позже. Или лучше совсем освободи

меня от поездки. Мне надо к дочери на дачу, я своим обещала. Для меня твое предложение слишком неожиданное, — отказалась Аграфена.

— Да ты что?! — подался к ней всем телом режиссер. — Без тебя никак нельзя.

— Но почему? Как раз без меня вы спокойно обойдетесь. Скажи мне, какие спектакли повезете, и я соберу все декорации, все костюмы. Я вам абсолютно не нужна.

Эдуард Эрикович закурил вторую сигарету.

— Ты действительно не хочешь ехать? Там так здорово...

— Я хотела бы и очень рада, что так повезло всей труппе, но сама лучше останусь здесь. Правда-правда, все это чересчур неожиданно, и я не знаю, как дочка отреагирует. Аня с бабушкой ждут меня, а ты знаешь, что они — самое главное у меня в жизни.

— Марк, когда сидел здесь у меня в кабинете, обратил внимание на этот портрет. — Эдуард показал рукой себе за спину, где в золоченой раме висел его собственный портрет, написанный Аграфеной лет пять назад.

— Понравился ему?

— Не то слово. Тарасов был в восторге. Начал расспрашивать, кто автор и все о нем. Я повел его в наш так называемый красный уголок и показал другие твои работы. Если честно, Груня, я тогда подумал, не купит ли он что-то. Я продал бы, даже не спросясь у тебя. Конечно, дал бы денег и тебе, но, главное, для театра оставил бы. Вон, смотри, все разваливается! Хоть одно окно бы установил, и то хорошо. Но Марк интересовался только портретами и ничего не купил.

Зато сделал свое великолепное предложение, а это баснословные деньги. Оплатил нам авиаперелет, предоставил бесплатное жилье и питание в своем доме. Мы должны дать как минимум четыре спектакля для русскоязычных жителей Венгрии. Повторяю: нам еще и заплатят за них! Но Тарасов попросил обязательно привезти тебя — чтобы ты написала портреты его дедушки и бабушки. Ты понимаешь, что это значит? Он только из-за тебя, может, нас и пригласил! Вот что-то понравилось ему в твоих работах. Говорил что-то вроде — глубина и правдоподобность. Это словно плата за наше проживание и организацию гастролей. Я думаю, Марк ужасно расстроится, если приедем все мы без художника, которому он хочет заказать фамильные портреты своей родни. Может, и не выгонит нас, но расстроится точно.

Аграфена нервно повела плечом.

— А ты не думаешь, что если я оказалась такой центровой фигурой, то меня хотя бы надо было поставить в известность?

— Прости, Грушка.

— Я тебе не Грушка!

— А до дыньки ты не дотягиваешь.

— Ну, ты, Эдик, и пошляк! — возмутилась Груня, которая уже поняла, что ей деваться некуда. — Ладно, поговорю с Симой.

— Вот и молодец! Я же не виноват, что ему так понравились твои портреты. Ну, нарисуешь бабку с дедкой, зато коллегам по театру обеспечишь и заработок, и отдых, — затараторил Эдуард Эрикович. — Ты же знаешь, я за своих — горой. Я и сам бы нарисовал...

— Да только не умеешь.

— Вот именно! А ты умеешь. Чего тебе стоит?

— Хватит причитать, все понятно уже.

— Меня ты рисовала дней десять, помнишь? Ну, на бабульку с дедулькой потратишь не меньше, так что укладываемся в месяц-то. Причем мне позировать некогда было, мы все время прерывались! А бабке с дедом уж лет по сто, если Марку под пятьдесят. Сидят себе небось, не шевелясь, на солнышке. Ты их быстро нарисуешь.

— Напишешь. Художники говорят — напишешь, — поправила его Груня.

— Напишешь, — легко согласился режиссер.

— А другого художника нельзя взять? Твой Тарасов ведь меня не видел, — закинула удочку с последней наживкой Груня. — Могу порекомендовать талантливую художницу.

— Самая талантливая у нас — ты! И спасибо, что ты с нами! Ты вот, Груша, совершенно не умеешь слышать людей, поэтому и без мужика! Мужики что любят? Чтобы их слушали открыв рот.

— Без мужика я потому, что их нет нормальных, — сказала, как отрезала, Аграфена. — А при чем тут моя личная жизнь?

— Извини, извини! — поднял обе руки Эдуард Эрикович. — Просто Марк безумно талантливый человек, тесно связанный с искусством, так что, будь уверена, подмену сразу заметил бы! А я не хочу его обманывать. Когда-то Тарасов был моим другом, а сейчас сделал нам такое заманчивое предложение, буквально вытянув из долговой ямы. Правда, не хотелось бы возобновить знакомство с вранья. И потом, я ему уже сказал, как тебя зовут. Почему другой человек

должен будет представляться чужим именем? К чему такие сложности? Просто секретная миссия какая-то получается...

— Ладно, — вздохнула Аграфена, — я подумаю и поговорю со своими.

— Неправильный ответ.

— Я приду! — выдохнула она с ощущением, что ее «достали», причем все.

— Совсем другое дело, — обрадовался Эдуард. — По коньячку?

Но Аграфена сорвалась с места, подавляя тошноту под раскатистый смех директора театра.

Глава 4

Вот что за странная психика у людей? Аграфена еще ни разу не летала на самолете, но почему-то заранее боялась, а потому не хотела. Наверное, это из-за неестественности процесса отрыва от земли такой громадины, да еще из-за наших «позитивных» новостей, каждую неделю сообщающих об авиакатастрофах. Поэтому в аэропорт она приехала в состоянии легкого возбуждения и нервного напряжения. Само здание и особенно виднеющиеся за его окнами «железные птицы», стоящие на бетонном поле, ей не понравились. Особенно последние. Они вызывали у нее смутные опасения и явную нервную дрожь в коленках. Груня всматривалась в каждый самолет с немым вопросом в глазах: «Ты точно не упадешь?» Здесь даже воздух был особенный, словно уже оторванный от земли.

Высокую и шумную фигуру Эдуарда Эриковича было видно издалека. Он отчаянно жестикулировал руками и что-то кричал резким пронзительным «театральным» голосом.

— Что такое? — подошла к нему Аграфена.

— Груня! Слава богу, хоть ты здесь! Доведете вы старика до инфаркта!

— Да что случилось-то?

— Некоторые из объявленных на отъезд не смогли прийти. И эти некоторые — те, без кого наши спектакли все с шумом провалятся!

— Что значит — не смогли? — не поняла художница.

— Плохо им, видите ли, до сих пор! Не отошли еще от празднования закрытия сезона!

— Со всеми все в порядке? Я имею в виду по здоровью? — забеспокоилась Аграфена.

— Ты хочешь спросить, не умер ли кто после банкета? Нет, все живы, но не в состоянии не то чтобы лететь куда-то, а даже встать. Лучше бы я сам уже отошел в мир иной и успокоился бы!

Груня осмотрелась и поздоровалась с присутствующими. Такое настроение главного режиссера было привычным делом.

— А кого нет? — спросила она.

— Летят два рабочих сцены, гример, десять актеров, я и наш бухгалтер Клавдия.

— Почти все.

— Разуй свои красивые глаза — нет ведущей актрисы Татьяны Ветровой. А ведь без нее не пройдет ни один спектакль, что мы везем. Можно разбирать чемоданы и расходиться по домам. В «Трех сестрах» Таня одна из сестер, «Любовь и голуби» — главная героиня Таня, «Любовный ужин» — Таня играет жену главного героя. И наконец, «Мышеловка», где Таня — убийца. Все наши четыре спектакля держат-

ся на ней! И ведь никого так быстро не введешь! — Лицо Эдуарда приобрело багровый оттенок. — Все рухнуло! Мы никуда не летим! Первый раз в жизни выпал такой случай! Но кто же предвидел, что у меня в труппе одни идиоты?

— Да подожди ты паниковать! Ты звонил ей? — остановила монолог режиссера Груня.

— Конечно! С утра только этим и занимаюсь! Хотел заехать за ней и подвезти, но телефон выключен! Она, видите ли, абонент у нас, который не доступен! Горе мне горе! Пригрел, что называется, змею!

— Прежде всего успокойся. Сейчас принесу тебе воды. Время еще есть...

Аграфена отошла к ларьку с товарами в дорогу и достала свой телефон, собираясь сама позвонить Татьяне.

— Груня... Груня... — донесся до ее ушей шепот.

Художница обернулась и с удивлением увидела Ветрову, которая призывно махала ей рукой из-за угла киоска. Актриса была одета в длинное, пестрое платье, а ее голову обматывал платок. Так же лицо закрывали большие черные очки.

— Таня? Ты чего здесь? Специально, что ли, шифруешься? Ты похожа на мусульманскую женщину, которой муж не разрешает из дома выходить! — подходя к ней, изумленно воскликнула Аграфена.

— Конечно, специально. Тихо, — подтянула ее к себе Татьяна, поминутно озираясь.

— Зачем? Эдуард уже рвет и мечет! Ты хочешь вывести режиссера из себя? Вряд ли ты таким способом вернешь его любовь. Боюсь, Колобова скоро удар хватит. И вообще, что за маскарад? — недоумевала Груша.

Татьяна сняла очки и оттянула платок с нижней части лица.

— Смотри! Лучше один раз увидеть!

Аграфена глянула на нее и ахнула. Оба нижних века висели вниз, как у мопса, одно верхнее веко полностью наплывало на глаз, делая актрису фактически косой, вернее, одноглазой. К тому же у Татьяны наблюдалась общая асимметрия лица — один угол рта был полностью опущен.

— Господи, Таня... Что с тобой? Ты попала под каток?

— Вот, я об этом и говорю! Час уже тут прячусь. Как я появлюсь в таком виде? Меня Эдик убьет! Я ведь ведущая актриса, но играть-то все равно не смогу, даже если полечу со всеми. Чувствуешь, у меня даже дикция изменилась? Какая из меня чеховская сестра? А несчастная жена героя? Все же зрители будут на стороне мужа и любовницы — мол, от такой уродины грех не гулять, еще спасибо скажи, что на тебе вообще женились и хоть сколько-то прожили с тобой вместе! А в пьесе «Мышеловка» в самом конце становится ясно, что убийца скрывается под маской милой дамы, которую играю я. Все всегда ахают, когда это открывается. А что люди скажут сейчас? Да по моей роже сразу же будет видно, что первый злодей — я! Такой вот маньяк! — Таня заплакала.

Слезы из ее кривых глаз потекли тоже неравномерно, и Аграфена не смогла сдержать восклицания ужаса.

— Да что произошло-то? Почему ты в таком виде?

— Я же очень обрадовалась, что мы едем в такой романтичный город, что мы летим за границу. К тому

же я решила попробовать возобновить свои отношения с Эдиком, ведь окружающая обстановка должна была способствовать любви. И вот я с утра побежала к косметологу, чтобы сделать себе «уколы красоты». Не знаю, что там со мной сотворили, но у меня все морщины остались, а вот мышцы парализовало совсем не там, где надо бы. И у меня перекосило все лицо! — в отчаянии выкрикнула актриса.

— Я вижу...

— Да теперь все меня такой увидят! Что же мне делать, Груня?!

— Прекрати истерику! Откуда я знаю, что тебе делать? Я не врач! Зачем вообще ты пошла на уколы? Все же было хорошо...

— Глупейший вопрос! Чтобы стать моложе и красивее — для чего ж еще... И все ради Эдика, неблагодарного бабника! А ты подумала, я решила изуродовать себя из-за несчастной любви? Мол, смотри, что со мной стало?

— Нет, — смутилась Груша, — я подумала, что на тебе так сказались последствия вчерашней вечеринки. Некоторые тоже не пришли. Может, алкоголь и правда был некачественный, поэтому парализовало эти мышцы? Но если это ботокс...

— Именно ботокс! — заверила Таня, вытирая слезы и начиная внимательно слушать художницу, словно та действительно могла помочь ей и исправить перекошенное лицо.

— Тогда явление обратимое, я передачу слушала, — успокоила Ветрову Аграфена.

— А когда? Когда все вернется? — с надеждой посмотрела на нее актриса.

— Через полгода, — обреченно вздохнула Аграфена. — Ну, ты сразу-то в обморок не падай, может, и раньше...

— Что?! Полгода?! Катастрофа! Ужас! Что же делать?

— По-любому, Таня, сейчас мы должны идти к своим. Наш рейс уже регистрировать начали.

— Я не могу! Эдуард узнает про ботокс и убьет меня! Он всегда был против всего искусственного в женщине. Я уже прямо слышу его слова: «Старая дура!» И так я уже переживала, что скоро с ролей из-за возраста снимут, а тут еще неудачно «омолодилась»...

— А мы не скажем ему про ботокс. Придумаем что-нибудь... Но идти надо! А то его удар хватит, и вообще никому ничего говорить не придется.

И тут до их слуха донесся громкий голос Эдуарда Эриковича:

— Теперь еще и Груша пропала! Да что же делать-то? Что они, как муравьи, все в разные стороны разбегаются?

— Идем, — потащила Татьяну Груня.

Актриса быстренько прикрылась платком.

— Вот ты где! — кинулся к Аграфене режиссер. — А что за восточная женщина с тобой? Таня, ты? Почему в таком виде? Где ты вообще была?! Что происходит? Господи, что у тебя с лицом?

Колобов схватился за платок и быстренько размотал его. Сотрудники театра обступили Ветрову со всех сторон с возгласами удивления, сочувствия и ужаса.

— Отстаньте от нее, в самолете объясним. А сейчас все на посадку! Нас ждут Марк Тарасов, его театр

и дедушка с бабушкой, решившие увековечить себя на радость потомкам! — неожиданно командным голосом произнесла Груня. И все ее послушались. Даже онемевший режиссер.

А уже сев на свое место, Груша, взявшая ситуацию под свой контроль, рассказала всем грустную историю, выдумав ее на ходу. Татьяна все это время молчала, давая людям возможность привыкнуть к ее внешности. А заодно не желая еще шокировать их тем, что у нее и голос изменен из-за искривления рта.

— Короче, надо завязывать, друзья, с распитием спиртных напитков на открытие и закрытие сезона. А то на очередном банкете кто-нибудь из нас закроется навсегда. Вот наша звезда Таня уже перенесла микроинсульт...

— О, господи, Танечка! — кинулся к Ветровой Эдуард Эрикович. — Так ты больна? Тебе ж в больницу надо, а не лететь с нами!

— Я не могу вас подвести, лучше умру на сцене, — пафосно ответила актриса.

— Да к черту все!! Главное — здоровье! — не соглашался режиссер.

Но в его взгляде, кроме ужаса, никакого особого сочувствия не наблюдалось. Груня прямо кожей чувствовала, как у него в голове тикают мысли, что ему теперь делать, раз главная героиня имеет теперь такое лицо. Ведь она именно им и работала за отсутствием особого таланта, а теперь и последнего лишилась... то есть лица.

Обрадовавшись, что режиссер заглотил наживку, Аграфена продолжила наступление:

— Таня была в больнице. У нее так называемый остановившийся инсульт, хуже ей не будет. Но актрисе нужен отдых и покой. Туда мы и летим!

— А четыре спектакля? — пискнул режиссер.

— Это не нагрузка для меня. Ты же знаешь, я живу на сцене, — прошамкала Татьяна.

— А как ты играть-то будешь? Ты сможешь? Это же катастрофа! — наконец-то дошло до Эдуарда Эриковича, и все его мысли вылились наружу.

— Я шмогу, — шепеляво ответила Ветрова.

— Таня!!!

— Я сумею...

— Ты себя в зеркало-то видела?! Извини, конечно...

— Да чего уж, добивай меня, скажи, на кого я стала похожа! — пошла в атаку актриса. — Это все из-за твоих пьянок! Я на тебя в суд подам, ты мне еще и денег заплатишь, потому что я пострадала на производстве...

— Прекратите ссориться! — оборвала их Аграфена. — Главное, что состояние Тани обратимо.

— Обратимо? Значит, это пройдет? Слава богу! Когда долетим, ей уже будет лучше? — с надеждой спросил Эдуард.

— Пристегните ремни, наш самолет... — раздался голос стюардессы.

Аграфена приложила палец к губам, и на время все умолкли. Самолет взлетел.

Татьяна, сидевшая рядом с художницей, взяла ее за руку.

— Груня, посмотри, у меня с лицом не лучше? Все-таки поменялось давление и притяжение... Может, что расправилось?

— Нет, не знаю. Таня, да что ты глупости говоришь? Даже если бы и стало лучше, тебе что, полгода в самолете летать? Стюардессой устроиться?

— Не возьмут по возрасту, — хмуро ответила Ветрова, отворачиваясь к иллюминатору.

Аграфена наткнулась на полный мольбы взгляд Эдуарда Эриковича.

— Правда пройдет? — прошептал он, не в силах прийти в себя.

— Инсульт лечится полгода, — строго ответила Аграфена.

— Полгода! — ахнул режиссер и закрыл голову руками, словно прячась от ужасного известия.

— Видишь, как я плохо выгляжу, — повернулась к ней Татьяна, — он на полгода не согласен. Меня уберут с главных ролей!

— Тише ты, переживает он, — шикнула на актрису Груня. — Короче, придерживаемся версии инсульта. Никуда он тебя не сместит. Порядочный мужчина не тронет женщину, с которой был когда-то близок. Даже если любовь их в прошлом.

— Много ты знаешь, — вздохнула Татьяна. — Порядочный мужчина — одно, а бабник... — Ветрова махнула рукой, словно ставя на Колобова клеймо непорядочности на всю оставшуюся жизнь.

Стюардессы в это время стали предлагать напитки. И коллектив театра показал себя с дружной стороны. Опять-таки — с дружной! Все стали пить «в последний раз», чтобы снять стресс от полета и стресс из-за известия о болезни коллеги. Самым удивительным для всех стало то, что больше всех пила Таня, заливая в кривой рот мартини.

— А тебе можно? — осторожно поинтересовался Эдуард.

— А почему нет? У меня стресс больше, чем у вас. И вообще полезно — сосуды расширяет, — ответила она, заказывая еще.

— Ты сильно-то не увлекайся, в самолете очень дорого все, — предупредила ее Груня.

— Да ладно тебе, я взяла денег. Один раз летим! — отмахнулась ведущая актриса. — Все свои сбережения потрачу на красивые шмотки и алкоголь! Шмотки — для себя любимой, алкоголь для мужиков, чтобы они с каждой рюмкой видели, как у меня что-то меняется в лице и оно становится более привлекательным.

В Будапеште — да-да, именно в Будапеште, а не в Бухаресте! — работники театра приземлились уже в невменяемом состоянии и высыпали из лайнера шумной, веселой толпой в пятнадцать человек.

— Ау! Нас кто-нибудь встречает? — зачем-то начал кричать Эдуард Эрикович. И тут же кинулся узнавать, где тут магазины со спиртным и есть ли какие-либо ограничения на продажу оного.

От таких его вопросов на английском языке народ шарахался в разные стороны. Даже таксисты и носильщики, которые вроде бы должны были помогать.

А в результате группу гостей Венгрии в полном составе забрали в полицейский участок. Эдуард Эрикович, самый главный заводила, сразу присмирел, как нашкодивший школьник, и смотрел в окно полицейского автомобиля. Задержанных везли в трех больших машинах. К слову сказать, несколько человек из них вели себя тихо, и их бы не забрали в полицию, потому что они-то общественный порядок не нарушали. Но сотрудники театра испугались остаться в одиночестве в аэропорту чужой страны без знания языка и попросились поехать вместе со всеми.

— Красивый город, — поставленным, но уже тихим голосом произнес Эдуард Эрикович.

— Неплохой, — ответила в тон ему Аграфена, ощущая спиртовые испарения, исходящие от ее коллег, да и, наверное, и от нее самой. — Главное, спасибо вам, господин Колобов, что вы нам обеспечили бесплатную экскурсию по городу. Правда, в полицейской машине, но это уже все равно, зато с ветерком...

— А чего я-то? — взлохматил волосы растопыренной большой пятерней Эдик. — Все веселились! Радовались, что долетели и сели. С нашими-то авиалиниями!

— Ага, только не все «веселящиеся» щипали женщин за задницу и кричали: «Эй, венгерочка, приготовь мне суп-гуляш! Холодец, я вижу, у тебя ничего!» — передразнила его Аграфена под сдавленные смешки коллег.

— Да это я так, к слову. Думал, оценят юмор.

— Что характерно — не оценили. Молчи уж теперь, — поджала перекошенные губы Таня, ехавшая в той же машине. — Тут тебе не Россия, сейчас впаяют лет двадцать за сексуальные домогательства, будешь знать!

— А я чего? Я ничего. И где Марк, черт бы его побрал?! Ведь знал же, что этим рейсом летим. Вот встретил бы — ничего бы такого и не было!

— У тебя вечно другие виноваты, только не ты. То есть тебя, тепленького и пьяненького, надо было заби-

рать из самолета, пока Карлсон не начал шалить? — фыркнула Татьяна, смотря режиссеру почему-то в очень специфичное место, а именно в область ширинки. Видимо, это было что-то личное.

— Таня! — прикрикнул тот на нее.

— А что Таня-то? Твой друг давно живет за границей и ведет себя соответствующе, он уже забыл про удаль русскую. Разве он мог предположить, что мы сразу же загремим в полицейский участок? Артисты, твою мать!

Глава 5

В самом полицейском участке их действительно ждал не очень радушный прием. Всю труппу заперли в большую камеру предварительного заключения и заставили ждать полчаса. Затем к ним пришли сразу трое мужчин в штатском.

У Эдуарда Эриковича уже закончилось действие спиртного, поэтому он снова становился раздраженным и злым:

— Какое вы имеете право нас задерживать?! Я требую представителя из российского консульства! Мы граждане России! И мы ничего такого не сделали! Мы прилетели на гастроли, у нас отпуск. Ну, расслабились немного, и что? Почему такое отношение к русским? Когда у вас немцы пьют в пабах и орут жуткими голосами свои жуткие песни — это ничего! А все равно войну мы выиграли!

— Говорите по-английски, господа иностранцы? — спросил самый старший мужчина.

Выражение его лица Груне не понравилось.

— А я не обязан «спикать»! Я — россиянин! Приведите переводчика! — продолжал бушевать Эдуард Эрикович.

— Господин перепутал Венгрию с Турцией? Ох, уж эти неучи русские... Столько всегда понтов, а ведут себя как дикари. Прошли уже те времена, когда они диктовали свою волю половине мира, а в генах у них именно это и осталось, — сказал второй мужчина на не очень хорошем английском.

— А кто у нас тут страдает национализмом? — поинтересовалась теперь Аграфена, переходя на английский. — Вы что себе позволяете? Думаете, что вам удастся захватить пятнадцать российских граждан и все сойдет вам с рук? Где представитель посольства? И я требую независимую прессу!

Мужчина слегка растерялся.

— Вы понимаете по-английски?

— Как видите, да. А вы, видимо, переводчик для работы с иностранцами-нарушителями?

— Не кипятитесь, мисс, я вовсе не то имел в виду... Никто вас не захватывал. Вы нарушали общественный порядок в аэропорту, а это серьезный проступок!

— Ничего мы не нарушали! Мы такой народ, темпераментный. Это наша вина? Итальянцев вы бы не задержали.

— Вы были пьяны...

— Просто мы боимся летать на самолете, поэтому выпили немного, расслабились... Они у нас часто бьются, посмотрите статистику. Мы, между прочим, впервые попали в вашу страну, радовались...

— Чрезмерно радовались, — нахмурился собеседник и стал переводить слова Аграфены мужчине.

Зачем коту копыта?

— Чего он говорит? Нас арестуют? — запаниковал Эдуард Эрикович. — Переведи!

— А если мы извинимся? Мы уже все осознали и поняли, — продолжала напирать Груня. — Разве у вас много письменных заявлений на наш счет? Или только словесная жалоба?

— Письменных нет, но комиссар участка очень бы хотел знать цель вашего такого массового визита.

— Мы — труппа театра, — пояснила Груня, — артисты.

— В самом деле артисты? — удивился переводчик. — Это многое объясняет. Или вы вообще, по жизни, артисты?

— Нет, по профессии, — поправила Груня, стараясь взять себя в руки, чтобы произвести на хмурого полицейского и дотошного переводчика благоприятное впечатление.

— Вы в отпуск?

— Нас пригласил Марк Тарасов, живущий у вас вот по этому адресу, — протянула художница записку, которую давний друг оставил Эдуарду, будучи в Москве. — Он ждет нас. Между прочим, господин Тарасов директор местного русского театра и пригласил нас выступить там. Можете все узнать у него, мы не обманываем.

— Это уважаемый человек, — сказал сначала комиссар, а затем и переводчик.

— Так вы его знаете? Вот и прекрасно! Позвоните ему, и он все подтвердит, — обрадовалась Аграфена. И продолжила щебетать, пытаясь поймать волну, разболтать суровых полицейских и разжалобить их: — А я как художница должна написать портреты его

57

бабушки и дедушки. А еще мы бы пригласили вас на спектакль. Только он будет на русском и вы вряд ли что поймете.

Комиссар сделал какое-то странное движение руками, и мужчины молча удалились.

— Куда они? Что сказали? — спросил Эдуард Эрикович.

— Я не знаю, ничего не ответили. Наверное, пошли связываться с Марком, — предположила Груня.

— Так ему и надо! Не захотел нас встретить в аэропорту, придется встречать в полицейском участке. Карлсон уже нашалил, — высказалась Татьяна.

— Таня, прекрати! — покраснел режиссер.

И гости венгерской столицы снова погрузились в томительное ожидание.

— Не люди, а звери! Хоть бы чаю дали или просто воды! — высказал недовольство ведущий артист Николай Еремеевич, которого буквально тряс «товарищ Опохмел». Главный герой театра, как уже говорилось, давно страдал алкоголизмом и сейчас очень сильно от него страдал.

— А я в туалет хочу, — выдала Татьяна.

Тут уж Эдуард Эрикович взорвался и кинулся на закрытую дверь:

— Я президенту буду жаловаться! Да что ж такое? Здесь женщина с инсультом, а вы ее держите в камере!

Почти сразу же дверь открылась, и на пороге возникли все те же лица, а с ними очень красивый, молодой мужчина. Его внешность была совершенна — высок, широкоплеч, с лицом, словно вылепленным по классическим образцам античного искусства, темно-темно-синие глаза смотрели пронзительно и умно, а темные

волосы, слегка вьющиеся волной, касались ворота темной одежды.

— Это Вилли, он отвезет вас в дом Марка Тарасова, — сказал переводчик, представляя мужчину.

— Нас много.

— Всех отвезет, — заверил переводчик.

— Нас больше не задерживают? — прорвало Татьяну.

— Нет, штраф уплачен, все улажено. Но попрошу вас вести себя более тихо.

— Наш темперамент не погасить, русскую душу не затоптать! — опять понесло Эдуарда Эриковича, пока кто-то не закрыл ему рот рукой. По красному маникюру Груня поняла, что это сделала Татьяна.

Аграфена же вообще потеряла дар речи от вида Вилли, а когда встретилась с ним глазами, ощутила, как в сердце разорвалась бомба. Молодые девчонки захихикали:

— Какой хорошенький! Вот это мужик! У нас в России таких нет!

— Девочки, он словно из службы эскорта.

— Боюсь, моих командировочных на такого красавца не хватит, — оценивающе посмотрела на него Настя и обернулась к Аграфене. — Груша, а ты что язык проглотила? Спроси у этого мачо по-английски, свободен ли он. Или, может быть, он гей?

— Я прекрасно говорю на русском, — вдруг сказал мачо очень низким, приятным голосом. — Следуйте за мной.

«Господи! Он слышал весь этот бред!» — вспыхнула до корней волос Груня, хотя как раз она ничего и не говорила.

Девчонки тоже растерялись, а затем начали смеяться. Смех их оборвался на неожиданной ноте, когда они увидели припаркованный к полицейскому участку огромный... катафалк, украшенный траурными венками и лентами.

— Это что?!

— Наш транспорт, — махнул рукой Вилли, не меняя выражения лица.

— Вы издеваетесь? Почему катафалк? — поджала губы Татьяна, хватая Эдуарда за руку, словно прося у него защиты и помощи.

— Извините, не успел сменить транспорт.

— Вы работаете водителем на кладбище? — округлила огромные и красивые глаза Анастасия.

— Нет, что вы, я всего лишь рою могилы, катафалк мне доверили чисто случайно, — серьезно ответил красавец-мужчина. И добавил: — А вообще, смотрю, мои ставки упали — от мальчика по вызову до водителя катафалка. Даже не знаю, что лучше.

— Но почему именно эта машина? Марк большой оригинал! — все-таки не сдержался Эдуард Эрикович.

— Мы сегодня хоронили Марка, и меня вызвали прямо с кладбища забрать группу задержанных, приехавших из России. Если бы я искал другой транспорт, вы бы просидели в заточении еще больше. Так что не обессудьте.

— Марк умер? Я не ослышался? — оторопел Эдуард, выражая общественное мнение и общественное изумление.

— Марк Анатольевич умер позавчера, сегодня, на третий день, похороны. Он говорил мне, что должна приехать группа русских артистов, где-то с неделю назад, но не сообщил ни дату, ни номер рейса. А потом, в связи с его смертью, вообще все из головы вылетело, закрутился. Столько хлопот и забот... Извините.

— Господи, какой ужас! — оцепенел режиссер. — Мы к нему летели, а он умер... Что же нам делать?

Вилли посмотрел на него и слегка улыбнулся, насколько позволяли приличия в данной ситуации.

— Комнаты приготовлены. Гости Марка — мои гости. Про организацию спектаклей он мне тоже говорил заранее. Живите, отдыхайте, играйте спектакли.

— Марк обещал нам бесплатное жилье и еду. А у вас?.. — осторожно поинтересовался Колобов с видом человека, который, если что, немедленно отправляется назад и улетает на родину. И его можно было понять. Мало того, что первым местом, куда труппа попала по приезде в Венгрию, оказался полицейский участок, так еще и человек, к которому они приехали, — умер. Все складывалось крайне неудачно. Но в данный момент Эдуард думал не о Марке, а о себе.

— Еще раз повторяю: все, на что вы рассчитывали, остается в силе. И еще одно. Надеюсь, это вас как-то успокоит. Марк жил в моем доме, у него самого ничего не было. Так что сейчас мы поедем ко мне домой.

Эдуард Эрикович дрогнул и галантно открыл перед собравшимися своими спутниками дверцу катафалка. Режиссер принял решение, и оно было очевидно:

— Прошу, дамы и господа! Извините, если что не так... Немного странная ситуация, но зато все поместимся.

Народ, невольно затихший, погрузился в машину. Вилли сел за руль, и катафалк плавно тронулся в путь. Красавец-мужчина выглядел очень отстраненным и холодным. А Груня не могла оторвать от него глаз, ее словно примагнитило к нему. Хорошо, что смотреть и любоваться она могла совершенно спокойно и беспрепятственно, поскольку сам мачо совсем на нее не смотрел. Ни на нее, ни на кого другого.

— Извините, а вы кем приходитесь Марку? — не выдержала молчания Татьяна, у которой от удивления даже лицо слегка выровнялось. Так сказать, шоковая терапия произвела свое действие.

— В принципе, никто, — пожал плечами Вилли. — Марк Анатольевич был очень несдержанным в чувствах человеком, наверное, поэтому у него и было десять браков.

— Сколько?

— Десять. Он жил несколько лет с одной женщиной, а потом уходил к другой. Каждая последующая женщина была моложе предыдущей, — ответил Вилли и внезапно посмотрел в глаза Груне через зеркало заднего вида. Словно хотел глянуть на дорогу назад, а там — ее лицо с открытым ртом.

Аграфена от неожиданности вспыхнула и опустила глаза.

— Известная история, — хмыкнул Колобов. — И в институте Марк еще тот ходок был. Девчонки в общежитии с визгом по комнатам разбегались, когда Марк приезжал туда. Это из серии «Кто не спрятался — я не виноват!». То есть он был откровенным бабником. Ой, а так можно говорить? Ведь о мертвых или хорошо, или ничего, — запнулся Эдуард Эрикович.

— «Бабник» — это не плохо, а всего лишь констатация факта, — ответила Татьяна.

— Да, вот именно. Короче, Тарасов являлся большим любителем женщин. Но я не думал, что его увлечение примет такие масштабы! Десять браков! Он что, с ума сошел? Зачем надо было жениться? Гулял бы так.

— Боюсь, что на данный вопрос и сам Марк бы не ответил, — снова пожал плечами Вилли. — А если бы и мог ответить, то уже не спросишь.

— Есть такие люди, обычно эмоциональные и страстные. В порыве страсти они делают предложение, и все, назад пути нет, — неожиданно для самой себя высказалась Груша и тут же испугалась своих слов.

Многие тоже вздрогнули и удивленно посмотрели на нее. Уже отвыкли от ее голоса. А особенно оттого, что она размышляет о страсти и любви, ничего в этом не понимая.

— Не согласен, — спокойно откликнулся Вилли. — По-вашему, если человек, например, ни разу не был женат, так он совсем не эмоционален? Можно сказать, труп?

Аграфена покраснела.

— Груня у нас как раз такой труп, — кивнула Таня. — Но в душе у нее бушует спящий вулкан страстей. Мы в это верим.

Девчонки захихикали, а Груша наступила Ветровой на ногу, и та, театрально закатив косые глаза, заохала.

— Чем Марк занимался? Он был богат? — спросил Эдуард, которого больше других беспокоила судьба друга и особенно то, как Тарасов смог ею распорядиться.

Остальные молчали, поскольку мужчину и не знали.

— Он писал сценарии, насколько мне известно, — ответил Вилли. — Слонялся по европейским театрам — то там что-то напишет, то здесь. Нигде толком ничего не выходило. Много зарабатывать у Марка не получалось. К тому же он все, что имел, оставлял очередной семье, когда уходил. И начинал с нуля. Стоило хоть немного встать на ноги, как он снова шел дальше. В итоге остался абсолютно одиноким, никому не нужным и ничего не заработавшим немолодым мужчиной.

— И что? Вы-то ему кто? — не унимался Эдуард Эрикович.

— Я его пасынок от третьей жены. Я не видел его много лет. Но моя мама перед своей смертью попросила меня, если когда-нибудь на моем горизонте объявится Марк Тарасов, помочь ему. Я не спрашивал маму, зачем ей это надо. Просьба, тем более предсмертная, для меня была законом. Но мама сама сказала мне, что все очень просто: она любила его. Многие вещи в нашем мире гениально просты, хотя порой кажутся сложными. Я не думал, что когда-нибудь увижу Марка, но моя мама оказалась мудрее. Не знаю, почему из всех своих десяти жен он, в состоянии полной нищеты и полного душевного хаоса, пришел именно в наш дом. В мой дом. Наверное, моя мама была самой доброй и самой всепрощающей из его женщин. Я дал ему апартаменты, полное содержание и даже побаловал тем, о чем Марк мечтал многие годы, — приобрел здание, где он организовал первый русский частный театр в Венгрии.

— Человечный поступок, — пискнула Груня.

— Явно не доходное дело? — спросила Таня, имея в виду театр.

— Антидоходное, — согласился Вилли. — Но Марк был рад, словно ребенок, и так возился со своим детищем, что я не возражал. Иногда туда приезжали не очень известные труппы из провинциальных театров Венгрии, Европы и стран СНГ. Зал часто был полупустым. Но Марк старался если и не получить прибыль, то хотя бы окупить затраты на содержание здания, поэтому сдавал театр в аренду на праздники, юбилеи, свадьбы. Собралась группа самородков-энтузиастов из пяти человек, которые организовали там что-то типа театральной студии. К вашему приезду Марк организовал рекламу, и на четыре заявленных спектакля билеты проданы. Но зал там небольшой.

— А вы русский? — спросил Эдуард. — Очень хорошо говорите по-русски.

— Моя мама была русской. Отца я не знал, мне известно только, что он был поляком.

— Да... — громогласно и вслух задумался Эдуард Эрикович. — Я все годы совершенно ничего не знал о судьбе Марка, хотя порой вспоминал его. Почему-то не верилось, что дела у него плохи, казалось, что если остался на Западе, выбрав себе такую судьбу, то теперь как сыр в масле катается. А когда вдруг ко мне приехал, все время говорил, что деньги его, что приглашает к себе. А выходит, ничего своего у него и не было. Правда, выглядел Марк не ахти, что уж говорить. Я еще подумал: вот, погулял человек, попил...

— Марк Анатольевич тяжело болел. У него обнаружили рак, и все было предрешено. В Россию он отправился, желая проститься с родиной. Врачи про-

гнозировали, что жить ему осталось месяца два-три, но ошиблись. Жалко, что вы его не застали, не попрощались.

— Вот почему он так старо выглядел, — понял Эдуард. — Хотя бы сказал чего...

— Он не распространялся о своих проблемах и о своем самочувствии, в целом был очень позитивным человеком. Моя мама за это его и любила. Наверное, понимала его и принимала таким, каким он и был, — пожал плечами Вилли.

— Извините... — опять пискнула Груша.

— Да? — покосился на нее Вилли.

— А каких бабушки и дедушки я должна нарисовать портреты? Марк просил об этом нашего режиссера. Сколько же им лет?

— Я не очень хорошо понимаю, о чем речь. — Вилли снова пронзил Аграфену острым взглядом. — Говорите, бабушка и дедушка? Когда Марк жил с моей матерью, он перетащил к нам своих тетку и дядю из Советского Союза, которых назвал единственными своими родственниками. Люди они уже были не молодые, к жизни за границей не приспособленные, языков не знали. Моя мама прониклась к ним симпатией, взяла их под свою опеку. Марк бросил нас через пять лет и уехал в неизвестном направлении. Его родственники, которых он почему-то называл дедушкой и бабушкой, оказались в затруднительной ситуации, если не сказать, что в шоковом состоянии. Они не знали, что им делать. Нам с матерью они были никто, квартиру свою в России они продали. Мы их выгнать на улицу не могли. Мать моя была порядочная женщина, да и привязалась уже к старикам. Так они с нами и остались жить. Конечно, странная ситуация, но иногда и чужие люди могут стать родными. Хотя многим этого не понять. Еще раз говорю: доброта моей матери была безгранична.

— Вот как раз наша Груня очень даже может вас понять, — громко заявила Татьяна. И тут же заохала: — Да что все время ты делаешь? Совсем мне ноги оттоптала. Разве я не правду говорю? Ты же у нас как Мать Тереза!

— Я рад, что хоть кто-то может это понять. — Вилли опять взглянул в зеркало заднего вида на Аграфену, чем в очередной раз вогнал ее в краску.

«Хорошая тренировка для сосудов, но сейчас она уместнее Тане — может, быстрее бы закончилось действие лекарства. А мне вот совсем ни к чему, выгляжу как дурочка», — подумала Груня. И вслух спросила:

— А сделать их портреты Марк попросил, наверное, ради успокоения совести? Чтобы попросить прощения у брошенных ранее родственников?

— Не знаю, что и ответить. Вроде головой Марк не тронулся, скончался в трезвом уме и здравой памяти. Видите ли, его родственники, так называемые бабушка и дедушка, умерли и похоронены на местном кладбище, недалеко от отеля. Так что я понятия не имею о каких-то там портретах.

— Похоронены? Совсем? — оторопела Груня.

— Нет, частично! — хохотнул Эдик. — Извините...

— Совсем, оба, — серьезно подтвердил Вилли. — Они жили всю жизнь вместе и умерли легко, друг за другом, как говорится, в один день. Повторяю: я не знаю, зачем Марк просил их нарисовать.

67

Пассажиры катафалка примолкли. Затем раздался чей-то истерический смешок, его подхватил нестройный хор, а вскоре просто истерический гогот прокатился по просторному салону похоронного автомобиля. У них постоянно что-то не складывалось! Мало того, что Марк скончался, а теперь еще оказалось, что то, ради чего он все это и затеял, вызвал русскую труппу, тоже не существовало — портреты писать было не с кого, люди умерли.

— Повезло тебе, Груня!

— И едем на катафалке, что опять же знаково в свете заказа на портреты, — мрачно отметила Аграфена.

— Ну, не стоит относиться к случайному совпадению трагично, просто так получилось, — возразил Вилли, — дальше все у вас пройдет радостнее.

— Надеюсь, — мрачно откликнулся Эдуард Эрикович. — А то прилетели, как идиоты... Я-то могу подтвердить слова Груни — Марк, когда был у меня, очень настаивал, чтобы вместе с нами в путешествие отправилась именно эта художница и именно для того, чтобы нарисовать портреты «бабушки с дедушкой»! Все, что вы сейчас сказали, лично у меня вызвало шок. Извините, Вилли, а вы по жизни чем занимаетесь?

— Да это не столь важно...

— Извините, уж важно! Мы едем к вам домой в странной машине после неприятных известий, что все умерли, и имеем право знать, — не согласился с ним Эдуард Эрикович. — Я в ответе за своих людей! За свою труппу!

— Я похож на маньяка? — удивленно поднял красивую бровь мистер Совершенство.

Зачем коту копыта?

— Да кто вас знает! Хотя, судя по тому, как легко вы вытащили нас из «обезьянника», наверное, имеете вес, — здраво рассуждал Эдуард Эрикович.

— Или деньги, — буркнул Вилли и остановился.

— Вот вы и ответили!

— Мы приехали, — сказал Вилли.

— А поминки будут? — осторожно поинтересовался режиссер.

— То есть кушать хотите? Конечно, сейчас поедим, — правильно понял хозяин.

Он вышел из машины и открыл дверцу. Всем дамам подавал руку, чтобы помочь выбраться. Настенька неловко споткнулась и упала всем своим красивым телом, просто плашмя, на Вилли.

— Ой, простите! — Ее светлые волосы коснулись его щеки, а губы почти губ. — Я так взволнована... и такая неловкая...

Мачо удержал ее за талию и поставил на ноги.

— Ничего страшного!

У Груни же неприятно защемило сердце. Было так ясно видно, что падение разыграно. Художница поспешно отвернулась и невольно залюбовалась открывшимся ее глазам пейзажем.

Глава 6

Прямо перед ними находилось здание просто-таки дворцового типа — этажей в восемь, с лепниной, колоннами и статуями по фасаду, с золоченой крышей, увенчанной шпилем, на котором развевался флаг Венгрии. Вокруг дома было очень много зелени и цветов, а прямо перед ним была устроена набережная. Дальше — широкая и глубокая река Дунай, по центру — зеленый остров с видневшимися черепичными крышами построек, а затем другой берег, тоже утопающий в зелени.

— Красота! Прямо у реки будем жить! Какое небо! Какой воздух! — наперебой заговорили прибывшие. — А где дом-то ваш?

— Вот он, — махнул рукой на дворец Вилли. — Сейчас придут люди и отнесут ваш багаж.

— Это дом? — оторопела Татьяна.

— Не дом, а отель, вон, я вижу пять звезд, — догадался Эдуард. — Марк заказал нам такой шикарный отель?

— Этот отель мой, — поправил его Вилли, — и я хочу расселить вас здесь. Вы против? Нет, я, конечно, могу отвести вас к себе, но мой дом не очень большой, а у вас компания все-таки не маленькая. Да и я часто живу здесь же, в отеле. Тут и ресторан, и обслуживание, и мой рабочий кабинет. Весьма удобно.

— Мы не против! — бросилась в бой Настя.

И все направились по центральной аллее к отелю. Прямо перед входом находился источник, защищенный каменной резной беседкой.

— Минеральная вода, можете пить, — пояснил Вилли. И чуть не сбил с ног Настю, следовавшую за ним по пятам, так резко повернулся и направился к Груне. — Зачем вы все это тащите? Я ведь сказал, что сейчас все заберут! Вам же тяжело!

— Художник сам носит свои кисти, — ответила она, в одной руке держа планшет, а в другой свернутые холсты.

— Давайте я помогу! — тоном, не терпящим возражений, заявил Вилли и забрал ее ношу.

Тут же между ними снова нарисовалась Настя:

— Это серьезно ваш отель? Прямо вот вы хозяин всего этого?

— Да.

— А он у вас один?

— Их сеть по Европе и один в Америке, — ответил Вилли. И снова обратился к художнице: — Груня или Груша, вам как больше нравится?

— Мне все равно, если честно...

— Вилли, — встряла Анастасия, оттесняя Груню, — так вы очень богатый человек?

— Не жалуюсь.

Настя подцепила его под руку, все дальше и дальше оттесняя Аграфену.

— А ваши апартаменты где располагаются?

— Я живу в люксе.

— Под крышей?

— Нет, наоборот, на первом этаже, с видом на Дунай.

Настя все щебетала и щебетала, уводя его все дальше и дальше.

Груня с тоской посмотрела на ее точеную фигурку и стройные ножки без признаков отеков и варикоза.

— Ну и дура ты, Груша! Прости, господи, мою грешную душу, — вздохнула, догнав ее, Татьяна.

— Чего так не лестно?

— А то ты не поняла! От тебя мужика просто физической силой увели. Он подошел к тебе, а ушел с другой.

— А что мне было делать? Драться с ней?

— Да хотя бы! Парик ведь не упадет и вставная челюсть не выскочит за неимением обоих, могла бы указать юной нахалке ее место. Она же порхает из постели в постель, ищет, где послаще, то есть побогаче.

— А я никогда не дралась из-за мужиков и сейчас не собираюсь.

— Так и напишем на твоей могильной плите: «Она никогда не дралась за мужиков, называла их козлами, плевала им в лицо и смеялась в похотливые глаза. Она была гордая особа и умерла нетронутой. Просто дура!»

— Таня, не утрируй.

— За такого мужчину вполне можно было бы подраться, — снова вздохнула Ветрова. И вдруг закри-

чала жутчайшим голосом: — Эй, молодой человек! Вилли, обождите! Помогите старой, больной женщине! А ты, Настенька, что-то совсем забыла про своего дедушку-режиссера, которого горячишь ночью, дожидаясь, когда он снимет с главных ролей старую любовницу и поставит тебя, молодую и прыткую. Чего уставилась? Смотри, как бы на ветру ресницы не отклеились!

Настя прикусила губу.

— Ну ты, Таня...

— Что Таня? То, что я стерва, знает весь театр, но это тебя не остановило, когда ты прыгнула в постель к моему Эдику. А вы, молодой человек, держитесь от этого спелого персика подальше. Он уже с душком!

— Карга старая! То-то тебя перекосило... Чтоб ты сдохла! — злобно выпалила Настя и побежала по ступенькам вверх.

— Эдик, дорогой! Какая же из нее ведущая актриса? У нее нервы ни к черту! — обратилась Таня уже к режиссеру.

Вилли, а за ним и прибывшие артисты вошли в отель, который сразу поразил гостей дорогой отделкой. Кожаные диваны, ресепшен в темном дубе, скрытая подсветка, итальянская мозаика на полу и тяжелые бра из латуни по стенам. А посередине холла был установлен фонтанчик — писающий мальчик. Вилли положил вещи Груни в углу и двинулся к стойке, чтобы распределить номера. Русская труппа облепила его со всех сторон.

— А номера одинаковые? А на сколько человек? А ванная или душ? А какой вид из окна? А точно все условия одинаковые?

Одна Аграфена стояла отстраненно и не рвалась в бой. Вилли, казалось, ничто не могло вывести из себя. Совершенно не повышая голоса, он всех усмирил:

— Для вас забронировано крыло с видом на Дунай на втором этаже. Номера одинаковые, рассчитанные на двоих. Расселяться можно вдвоем и по одному, если хотите — втроем, тогда принесут дополнительное спальное место.

Народ кинулся расхватывать ключи от номеров и делиться на пары. Тут-то и возникла непредвиденная ситуация — энное количество народа захотело жить отдельно. Например, сладкая троица Татьяна, Эдуард и Настенька. В итоге расселились все, кроме Аграфены и ведущего артиста Николая Еремеевича. Вилли повернулся к ним.

— Мы не являемся парой, — сразу же предупредила Груша. — Но я выросла в советских условиях, прошла лагеря, я имею в виду пионерские, и студенческие сборы, когда по двадцать человек в палатке, так что согласна на любые условия. То есть в быту я абсолютно неприхотлива.

— Я, конечно, тоже, — подал голос Николай Еремеевич. — Груня — человек мирный и порядочный, я готов делить с ней номер. Приставать не буду, давно не по этой части. Только боюсь, ей не понравится мое соседство — я храплю.

— Ширму можно поставить между кроватями... — неуверенно предложила Аграфена.

Вилли посмотрел на ключ у себя в руках с номером двадцать четыре и протянул его Николаю:

— Там кровать одна. Держите! А девушку я пристрою.

Зачем коту копыта?

— Вы не обидите Груню? — забеспокоился Николай. — Она ведь у нас — душа театра! Если вы ей предложите номер хуже, то лучше я туда пойду.

— Я похож на мужчину, способного предложить женщине что-то худшее?

— Нет, сэр! — козырнул Николай Еремеевич, звякнул ключами и удалился.

Аграфена выждала время и осмелилась поднять глаза на хозяина отеля.

— Все расселены? Я одна осталась?

— Одна.

— И куда меня?

— Отель очень популярен, — издалека начал Вилли.

— Я и не сомневаюсь. Он необыкновенно красивый и расположен в сказочном месте.

— Спасибо, я это тоже всегда отмечал. Мог бы жить в любой стране, в любом отеле, но привязан именно к нему. Хотя, конечно, Венгрия для меня — особая страна, считаю ее родиной.

— А я нигде не бывала... Моя родина — Россия... — переминалась с ноги на ногу Аграфена.

— Я чувствую себя неловко, потому и затягиваю то, что должно случиться, — признался Вилли.

— А что должно случиться? — заволновалась Груша.

— Я должен заселить вас.

— Я уж испугалась... — Она выдохнула. И догадалась: — Свободных номеров больше нет? Ничего страшного, я готова разместиться, где скажете, хоть в подвале. Мне все равно.

— Можно было бы поселить вас в любом отеле, но не думаю, что это хорошо — отрывать вас от

своих. Знаете что, пошли! — Вилли подхватил ее вещи и поспешил по коридору.

Аграфена еле поспевала за ним. И вскоре они оказались в сногсшибательном номере, состоящем из двух просторных комнат, соединенных арочным перекрытием. В одной имелся отсек для одежды, так называемая гардеробная, и стояла большая кровать с зеркальной спинкой, что-то в виде трюмо. Отсюда вела дверь на балкон с какими-то экзотическими растениями в горшках. Вторая комната была заставлена дорогой мебелью — рабочий стол с компьютером, книжные шкафы, панель домашнего кинотеатра. Общий фон помещений светлый. На стенах висели подлинники очень неплохих пейзажей, с потолков свисали люстры из венецианского стекла. Сквозь огромные окна в комнаты потоками вливались солнечные лучи.

— Очень красиво! — ахнула Аграфена.

— Располагайтесь, где хотите.

Груня нерешительно прошлась по номеру.

— Все на втором этаже, а я здесь... Ой, а чьи тут вещи?

— Видите ли, это и есть мои апартаменты. Но поймите меня правильно: здесь две комнаты, места хватит нам обоим. Отель и правда забит битком... Честное слово, я не буду к вам приставать! Не в моих правилах добиваться женщины силой. Но если настаиваете, я на ночь могу уезжать домой. Пока вот так вот...

Аграфена не знала, что и сказать.

— Я не должна была остаться одна?

— Если честно, то нет. Я думал, что все расселятся. Но это не меняет моего предложения.

— А почему вы предложили здесь жить именно мне? — спросила Груня.

— Вы мне показались самой... — Вилли смутился.

— Адекватной? — добавила она.

— Можно и так сказать, — согласился Вилли.

— А по мне что-то заметно? — насторожилась художница.

— Я прямо чувствую волны настороженности. Но обещаю не мешать отдыхать.

— Я не боюсь, что вы станете посягать на мою честь, — честно ответила Груня, — но в таком решении есть что-то неправильное. Простите, Вилли, но я здесь не останусь. По большому счету вы могли бы предложить жить с вами какому-то мужчине...

По лицу хозяина отеля было понятно, что он сильно разочарован и расстроен.

— Но... я бы не хотел слышать чей-то храп, и...

— Не волнуйтесь! Я найду себе место у Тани, нашей актрисы. У нее сложный характер, но мы с ней ладим.

Аграфена гордо развернулась и вышла.

— Я принесу вещи, — сказал Вилли разочарованно уже в ее спину.

Глава 7

Груша даже не поняла, с чего начались ее злоключения. Как-то вот вообще ни с чего. Ладно бы дорогу ей перешла женщина, в одной руке несущая пустое ведро, а в другой черного кота за шкирку. Так ведь нет! Но уже и приезд в Венгрию оказался сногсшибательным — и в тюрьму загремели, и тот, к кому ехали, умер. На сем неприятности могли бы и закончиться, однако продолжение, как говорится, следует...

Груня поднялась на второй этаж и постучалась в номер Татьяны Ветровой. Та открыла с недовольным лицом.

— Ну, кто там? Не дадут отдохнуть с дороги... Ой, это ты, Грушечка! Чего тебе, солнышко? Что-то хочешь? У тебя в номере нет минералки и фруктов?

— Таня, боюсь, но я иду к тебе на постой.

— Как на постой?

— Жить к себе возьмешь? — уже открыто спросила Аграфена.

И тут совершенно неожиданная реакция Татьяны поразила ее.

— У меня одна комната, — поджала актриса губы.

— У всех, наверное, одна, — несколько напряглась Груня. — Но не проситься же мне к Эдуарду Эриковичу? Ты ведь женщина, вот я к тебе...

Аграфена еще говорила, но уже подсознательно чувствовала, что наткнулась на стену непонимания. Так и вышло.

— Грушечка, я не имею ничего против тебя лично, но ты меня извини. Раз уж попали в такое место, я бы хотела отдохнуть по полной программе. Попросись к кому-то другому.

— Спасибо.

— Ой, да, Груня! Еще лучший вариант — иди к нашему милому хозяину. Он на тебя как-то странно, по-особенному, смотрел. Красавчик Вилли обязательно поселит тебя очень хорошо. Я не ошибаюсь в людях, особенно в мужчинах, будь они неладны.

— Спасибо, — сухо повторила Аграфена и увидела перед собой закрытую дверь.

На душе стало очень горько. И именно из-за обиды Груня вышла из отеля совсем — ее просто душили слезы. Она решила пройтись, прогуляться, собраться с мыслями, а потом решать, что делать дальше. Возвращаться к Вилли побитой собакой ей совсем не хотелось.

Отель стоял и правда в живописном месте. Не центр города, но очень милый уголок. Самое главное, что у реки. Вот по набережной-то Груша и пошла. С реки дул, нежно щекоча щеки, свежий ветерок с легким запахом ила. Зато по другую сторону дорожки тянулись ухоженные клумбы с цветами и прочими растениями. Набережная была набережной. Кто-то неспешно прогуливался, созерцая красоту архитектуры и природы или просто дыша воздухом. Сразу были заметны стайки туристов всех национальностей — с фотоаппаратами и горящими глазами.

А вот у Груни глаза совсем даже не горели. Почему-то ей было оскорбительно, что Вилли предложил именно ей жить у него в номере, и безумно обидно, что Таня отказала ей в помощи. Вот от нее она такого совсем не ожидала. Ноги как-то сами собой свернули на чудесный кружевной мост, который тянулся к тому самому зеленому острову, что так необычно выглядел посредине Дуная, создавая впечатление развилки, словно в Дунай впадал крупный приток.

На мосту Груня ощутила порывы уже чрезмерно свежего ветра. Теперь ее продувало буквально насквозь, а теплых вещей она с собой не взяла. У нее вообще ничего с собой не было, кроме небольшой суммы денег в кармане джинсовой юбки. Но возвращаться в отель совсем не хотелось. Аграфена подняла лицо к серо-голубому небу и заметила, что отдельные облака сбиваются в одну сплошную тучу.

«Еще и дождь пойдет... Вот ведь выбежала, мысли набекрень!» — поругала себя Груня и прибавила шаг. Кроме того, она только сейчас остро почувствовала, что сильно проголодалась. Ведь так и не поела с дороги и не отдохнула, в отличие от некоторых.

«Хоть бы кофе где выпить», — поселилась в мозгу навязчивая идея. Она обернулась с моста и нашла глазами отель, в котором остановилась ее труппа. Даже издалека он выглядел шикарно, выделяясь белым цветом и кружевным фасадом.

«Даже названия отеля не запомнила, — ужаснулась про себя Груня. — Но, думаю, найду, он, кажется, один тут такой, пятизвездочный...»

Мост плавно перешел в дорогу на острове, которая сразу же утонула в зелени. Да и весь остров просто утопал в растительности. Сквер переходил в тенистый парк, потом снова начинался сквер. Домики все были маленькие, уютные, с такими же милыми двориками. И, как назло, при каждом домике имелось кафе на открытом воздухе. То есть весь остров и состоял из кафешек, ресторанчиков и каких-то увеселительных заведений. Видимо, местные жители облюбовали его для отдыха. Понимая, что денег у нее не так уж и много, Груня подошла к первому попавшемуся киоску и купила бутылку сока из тропических фруктов и что-то типа сладкой вафли. Затем прошла дальше в глубь острова и спустилась к реке. Вдоль берега тянулась череда плавучих кафе, катеров и пришвартованных лодок, здесь снова чувствовалась свежесть воды и ощущался прохладный ветерок. Художница присела в тени кустов на скамеечку и приступила к еде. И вдруг ей на нос капнула первая капля дождя.

«Началось... Ну и где спрятаться от дождя?» — мелькнула неприятная мысль. Аграфена посмотрела вперед, в небольшой просвет среди ветвей, на поверхность воды, которая на глазах покрывалась мелкой рябью. Вафля в ее руках размокала и превращалась в тряпочку. А небо затянуло полностью, Аграфена даже и не думала, что здесь, в Венгрии, погода может меняться так стремительно, словно в тропиках. Она попыталась укрыться под кронами деревьев. Но порывы ветра дергали ветви вправо-влево, и с листвы лилась вниз дополнительная вода. Малочисленный прогуливавшийся народ моментально исчез из поля зрения Груши. Наверняка люди попрятались в многочисленных кафе. А ей туда нельзя — денег-то совсем почти не осталось. Поэтому она спустилась к берегу и, не долго думая, не видя никого вокруг, кто мог бы ей помешать, залезла на палубу привязанного катера под брезент. Почему-то Аграфена думала, что дождь скоро кончится, а вымокнуть до нитки не хотелось, ведь потом возвращаться назад по мосту, продуваемому всеми ветрами. Она свернулась калачиком, подложив голову на моток грязной веревки. Брезент был холодным и влажным и очень быстро провис, достав до ее тела. А дождь полил ливнем, стучал по брезенту и словно ощупывал Груню множеством сильных и быстрых пальцев. Слышался шум воды, но одежда оставалась сухой, что было странно, хоть и не могло не радовать.

Груша мечтала только о том, чтобы дождь побыстрее закончился, но вдруг донесшийся до ее слуха раскат грома оповестил весьма красноречиво, что ливень перешел в грозу. «Еще и молнией шарахнет! Помню, что купаться в грозу нежелательно, вода разряды притягивает, — испуганно подумала художница, осознав, что находиться на воде опасно. — Отчего же мне так не везет? Ведь никто и не вспомнит! Все устроились, кроме меня!»

Она закрыла глаза и постаралась расслабиться. И, самое главное, успокоиться. Монотонное шуршание дождя убаюкивало, Груня сама не заметила, как задремала. Затем к звукам дождя присоединился еще какой-то звук, более привычный городскому жителю.

Глава 8

Аграфена резко очнулась и открыла глаза. Затем чуть отодвинула край брезента. Перед ней простирался горизонт реки и виднелся размытый в дымке берег. Ливень перешел в мелко моросящий противный дождичек. Мерно работал мотор, что и разбудило Груню. Она поняла, что катер движется, естественно, вместе с ней, но почему-то сразу же не вылетела из своего укрытия, как черт из табакерки, со словами: «Стойте! Немедленно поверните назад! Тут же я!»

Она, если честно, на некоторое время растерялась. Даже испугалась, потому что залезла на катер незаконно. И тут, скосив глаза, Груша обнаружила, что незаметно для себя стала участницей фильма ужасов. При этом ее не спросили, хотела она сниматься в таком жанре или нет. На палубе недалеко от нее, по правую сторону, лежало человеческое тело. Судя по очертаниям, скорее всего, мужское. Почему «тело», а не человек? Потому что выглядело именно телом, то есть трупом. Оно было полностью обмотано целлофаном, так сказать, аккуратно упаковано, и стянуто материалом под стать — скотчем.

— Господи... — потрясенно выдохнула Аграфена, теперь уже точно не желавшая вылезать из своего укрытия, а больше всего желавшая провалиться сквозь землю и воду одновременно.

Зрение Груни обострилось, и она с ужасом уставилась на «соседа». В нескольких местах целлофан был порван, виднелась темная одежда и окровавленная рука. Часть крови стекла под целлофан, окрашивая его причудливыми узорами, а часть тоненьким ручейком капала на палубу и сразу же бледнела, смешиваясь с дождевой водой.

«У меня и телефона-то нет... — с тоской подумала художница. — Но даже если бы и был, что бы это изменило? Куда звонить? Местных номеров я не знаю, языка венгерского тоже, куда меня везут — неизвестно, что за катер, понятия не имею, кто такой этот несчастный — тоже не в курсе. Я ничего не знаю! И я оказалась в такой жуткой ситуации! Что же делать? Притаиться, уповая на то, что меня не заметят? Наверное, любой на моем месте так бы и поступил. Вдруг бандитов много и они вооружены? Этому человеку все равно не помочь, а у меня есть маленький шанс выжить», — размышляла Груня, трясясь мелкой дрожью.

На полиэтиленовой пленке, которая обматывала труп, скапливались капли дождя и скатывались мелкими дорожками, словно сама природа оплакивала смерть.

«Какую смерть? Самое настоящее убийство!» — поправила себя Груня. И тут же вздрогнула, не пове-

рив собственным глазам. Но, присмотревшись, убедилась: в том месте, где у трупа была голова, пленка была запотевшая и периодически то приподнималась, то опадала. «Да он же жив! Господи, этот несчастный еще жив!»

Аграфена вконец ошалела от такой мысли. Но полностью осознать свое открытие ей не удалось, так как мотор перестал урчать и катер остановился. Груня юркнула под брезент поглубже, и очень вовремя — на палубе прямо перед ней появились две пары мужских ног в кроссовках и в обычных резиновых сланцах. Один начал что-то говорить на непонятном ей языке, но второй на ломаном английском оборвал его:

— Говори по-английски! Ты же знаешь, что я не понимаю.

— Камень на веревке и в воду? — предложил первый, тоже не блеща произношением.

— Сказал же: утопленника скорей найдут. Или зацепят чем проходящие катера. Их тут тьма!

— И что делать? По условиям заказа мы должны мужика утопить, причем именно здесь.

— Мало ли что! А я говорю — так его быстро найдут. А нам надо и о своих шкурах подумать. Предлагаю причалить и зарыть в лесу. В жизни не найдут ни тело, ни нас.

— Так яму копать надо, — недовольно ответил напарник.

— Тогда готовь руки к наручникам.

— Ладно тебе... Хорошо, давай зароем, босс. Только здесь и пришвартоваться не к чему.

— Вот и отлично, никто даже следов не найдет. Кинем якорь и вплавь.

— С трупом?!

— Нет, с цветами. Все, ты согласился!

— О'кей, — буркнул недовольный мужчина и опять что-то пробубнил на неизвестном Аграфене языке.

Кроссовки и сланцы скрылись из глаз притаившейся Груни.

Вновь заурчал двигатель, катер вздрогнул и тронулся в путь.

«Что я могу сделать... Что могу предпринять... — судорожно размышляла Аграфена. — Выкинуть несчастного за борт? Может, не утонет и его спасут? А то ведь на берегу его сейчас точно зароют. Нет, что я несу: как же можно бросать связанного колбаской человека в воду? Тогда именно я стану его убийцей! А что, если мне выпрыгнуть вместе с ним и доплыть до берега? Опять чепуха! Тоже мне, прыгунья нашлась, я же и плавать-то не умею... О господи, о чем я думаю!»

Груня повернула лицо, и холодный брезент прилип к разгоряченному лбу. Ее вдруг порадовала и истерически рассмешила пришедшая в голову мысль: у нее ни разу не мелькнуло желания выпрыгнуть с катера и постараться спастись одной. Нет, она увидела, что захваченный бандитами человек еще жив, и хотела спасти его. Груша сама не ожидала от себя таких душевных качеств.

Мотор заглох, по мокрой палубе снова зашлепали подошвы кроссовок и сланцев.

«Если сейчас сдернут брезент, то обнаружат меня, и мне конец, — поняла Аграфена. — Самая главная в их разговоре мысль была о том, чтобы не было свидетелей их преступления, чтобы самим оказаться безнаказанными, чтобы тело не нашли. А тут — я, здрасьте... Ох, учила меня мама не брать чужого! Надо было ей еще мне внушать, что и залезать в чужие катера тоже нельзя. Что же я наделала, во что вляпалась? Неужели это лучше, чем остаться в номере с Вилли?»

Мужчины подхватили несчастного и скинули за борт, потом, ругаясь, спрыгнули сами, и дальше Груня слышала только плеск воды. Убийцы поплыли к берегу осуществлять свой мерзкий план.

Итак, Аграфена осталась на катере одна. Или в рубке находится еще и третий бандит? Но все равно, наступила пора что-то делать, так сказать, кульминация. Дальше отлеживаться под брезентом не имело никакого смысла. Преступники сделают свое черное дело, вернутся и рано или поздно обнаружат ее, и тогда ей конец. И то место, где захоронят несчастного, она тоже никогда не узнает, так как не посмела даже голову высунуть из своего убежища, словно крыса... Опираясь холодными руками на мокрую и тоже холодную палубу, Груня вылезла из-под брезента. В стеклянной будке рубки никого не было, и если бы она умела управлять катером, то у нее появился неплохой шанс спастись, угнав бандитское плавсредство и направившись прямиком в полицию. Но она не могла бросить несчастную жертву на произвол судьбы, хоть и понимала, что шансы выжить у раненного и обездвиженного человека минимальны, а с падением в воду вообще приблизились к нулю. Вряд ли убийцы стали бы беспокоиться о том, чтобы он не захлебнулся, раз собрались его тут же зарыть.

Аграфена осторожно выглянула из-за борта катера и увидела серую поверхность воды, покрытую мелкой рябью от ветра. Берег утопал в зелени. Ни домов, ни людей, ни преступников не видно. В фильмах жанра экшен бесстрашные герои в такой ситуации пробирались в рубку, нажимали кнопку SOS и вызывали спасателей. В реальной же жизни московская художница, не знающая абсолютно ничего об устройстве катеров, находящаяся в чужой стране и насмерть напуганная, озиралась в поисках спасательного круга. Плавать она действительно почти не умела — только «по-собачьи» и не дальше десяти метров, воды жутко боялась. Но Груня здраво рассудила, что сквозь кусты, куда удалились преступники, река может просматриваться, и яркий спасательный круг будет очень заметен. Таким образом, она приплывет прямо в руки к бандитам, которые и зароют ее вместе с жертвой.

Понадеявшись, что здесь не глубоко, Аграфена свалилась в воду с противоположной от берега стороны катера. От нее сразу же пошли круги. И она просчиталась, что будет мелко — было очень даже глубоко. Не нащупав ногами дна, Груня испугалась. Затем попыталась зацепиться за край катера, но не смогла дотянуться и запаниковала еще больше. Фактически она оказалась выброшенной за борт по собственной воле... Единственным выходом для нее, для спасения было добраться-таки до берега. К нему Груша и погребла изо всех сил руками и ногами «по-собачьи», цепляясь за свою жизнь и даже подумывая о том, чтобы спасти чужую.

Вода оказалась безумно холодной, мороз пробирал до костей. Аграфена еще держала в голове свои десять метров, а дальше... Но десять метров ее и спасли — на десятом она все-таки нащупала ногой скользкое дно и вздохнула с облегчением. Сил плыть уже не осталось, пришлось тащиться пешком, пусть и по миллиметру в час, поскольку еще и течением сносило.

На берег Груня выбралась со сбитым дыханием и не видя ничего перед собой — в глазах потемнело от напряжения. Но едва придя в себя, она двинулась в чащу леса в поисках бандитов, вздрагивая при каждом звуке, останавливаясь и осматриваясь. Но преступников и след простыл. Аграфена пригорюнилась было, но потом сообразила, что из-за течения выползла из воды довольно далеко от места стоянки катера, и пошла в обратную сторону. Вскоре ее старания были вознаграждены — на небольшой опушке она увидела тех двоих с катера, увлеченных зарыванием могилы.

«Закопали... Живой или уже нет был?» — грустно подумала Груня, припадая к земле и прячась за стволом сосны.

Мужчины мерно взмахивали лопатами.

— И что? — спросил наконец один.

— Ничего. Вот и все, зарыли. Холмик делать не будем, чтобы не привлекать внимания, — ответил напарник, стукнув лопатой по земле, то ли утрамбовывая ее, то ли стряхивая прилипшие к лезвию комки.

— Перекурим?

— Если честно, хочу быстрее убраться отсюда. Поплыли назад, а? Холодно. На катере согреемся, у меня джин есть.

— Как скажешь.

— А он жив еще?

— Откуда я знаю? Думаю, что если и был жив, то сейчас уже нет. Мы же не будем здесь стоять и ждать, когда уже точно он умрет? Живучий гад.

— Идем.

Убийцы сплюнули и двинулись сквозь заросли к реке. Что характерно, лопатки они забрали с собой. Груня еще немного выждала и вышла на опушку, с ужасом глядя на взрыхленную землю. Не было никакой надежды на то, что там, в яме, может еще теплиться жизнь, но она рухнула на колени и начала руками разгребать могилу. И плыла, как собака, и рыла, как собака... Груня понимала, что время работает не на нее, мало того — оно катастрофически упущено. Да и копала она медленно. Однако быстрее было просто невозможно. А вдруг преступники еще и огрели мужчину лопатой или камнем, перед тем как спихнуть в яму? Или раненый захлебнулся при падении в воду? Тогда сейчас она стирает кожу на руках в кровь и обрывает ногти совершенно зря. Перспектива обнаружить труп тоже пугала ее. Но Груня старательно гнала плохие мысли из головы.

«Как же медленно... У меня уже нет сил, но поверь, я стараюсь...» — шептала Аграфена, обращаясь к несчастной жертве. Она уже думала, что это никогда не закончится, но наконец ее рука коснулась полиэтилена. Груня начала грести с удвоенной скоростью. Как назло, земля ссыпалась с краев обратно, и приходилось снова выбирать ее. Затем она ухватилась за ноги незнакомца и, приложив нечеловеческое усилие, вытянула его на поверхность. Ей казалось, что человек уже не может быть живым, и от этого становилось жутко, но сейчас сдаваться было нельзя. Надо было идти до конца.

Мокрый целлофан облепила грязь. Груша скатала ее с того места, где находилось лицо, и попыталась разорвать пленку. И тут ее ждало полное разочарование — у нее никак не получалось! Холодные пальцы скользили по целлофану, только размазывая грязь. Аграфена буквально взвыла от отчаяния. Надо же, приложила столько сил, чтобы доплыть, затем вырыть яму, и вот теперь оказалась абсолютно бессильна. И самое страшное — Груня больше не видела легкого движения пленки возле лица. «Я не смогла! Все напрасно...» — тяжело вздохнула она.

Груня наклонилась, вцепилась в пленку зубами и все-таки ее прорвала, освободив холодное, грязное, окровавленное лицо жертвы с закрытыми глазами. Оставалось попытаться еще сделать то, что доводилось видеть только в кино, — искусственное дыхание. Обливаясь потом и слезами, она стала интенсивно нажимать на грудную клетку мужчины и бить по щекам с криком:

— Ну же! Давай! Дыши! Очнись! Пожалуйста! Уроды! Сволочи! Давай же.

Под ее руками хрустел целлофан, она не чувствовала, бьется сердце или нет. В голове уже стучало от собственного наверняка подскочившего давления. Когда силы ее покинули, Глаша просто упала рядом. И тут услышала шумный вдох.

— Не может быть! Парень! Ты жив? — обернулась она к нему.

Мужчина открыл глаза. Груша возликовала.

— Сейчас-сейчас... Я тебя освобожу... Секундочку, минуточку...

В нее словно влились дополнительные силы извне. Аграфена даже ни разу не подумала о том, что незнакомец, скорее всего, не понимает ее лепет, но продолжала что-то говорить ему по-русски.

Мужчина все-таки был явно живой, он даже помог своей спасительнице, начал сам освобождаться от остатков полиэтилена.

Аграфена вздохнула и посмотрела на него внимательнее, и тут ее захлестнуло совсем другое чувство.

— Мать твою!

— Ну...

— Вилли?!

— Ну...

— Вилли, ты?! Ты с ума сошел?!

— Нет... Просто говорить тяжело, не раздышался еще.

— Нет, точно ты?! Не может быть!

— Но это я, — прохрипел Вилли своим низким голосом. — А ты как тут? Я тоже удивляюсь...

— Зашла сказать, что к тебе в номер жить пойду, — ответила Груша, руки которой дрожали.

— А... Я рад. — Вилли с трудом сел.

— А я вот что-то не очень. Я же недавно с тобой попрощалась!

— И я недавно. И вот снова увидел тебя... — попытался улыбнуться хозяин отеля.

— Так неожиданно...

— Не то слово...

— Не те слова, уж точно!

— Груня, я все понимаю, ты спасла меня!

— Хорошо, что понимаешь...

— Ты спасла меня от страшной смерти, жуткой... Я уже думал — все.

— Сама в шоке. Но не знала, что спасаю именно тебя. Выглядишь ужасно, — с отчаянием посмотрела она на него.

— Голова кружится. — Вилли мотнул головой и чуть не повалился, но был подхвачен Груней.

— Тише, тише...

— А где мы? — спросил он.

— Ну, ты даешь! Я у тебя хотела поинтересоваться.

Мужчина свел брови и сосредоточился. А Груша сообразила: человек находится в шоке, а она чего-то от него хочет. Сама же только что вытянула его с того света!

— Когда ты ушла от меня, я там еще поработал — отвечал на телефонные звонки и все такое. А затем понес твои вещи в номер Татьяны. Та мне сказала, что ты у нее не остановилась, а вроде как пошла назад ко мне проситься на постой. Ой, что я говорю? Какой «постой»? Еще бы сказал «стойло»... Голова болит, извини... Я очень удивился тогда и даже испугался, ведь ты ко мне не возвращалась, я же все время оставался у себя.

Вилли попытался встать с земли, держась за ствол дерева.

— Я пошел тебя искать. Спросил на ресепшен, не видели ли тебя? Один из портье сообщил, что заметил, как ты выходила из отеля, а куда направилась, сказать не мог. Я выбежал на улицу и почему-то решил, что далеко ты уйти не могла, поэтому двинулся в обход отеля. Зашел за угол... Потом острая боль в голове, и все, больше ничего не помню. Вдруг мне стало холодно и мокро, и я вроде пришел в себя, но обнаружил, что нахожусь в каком-то коконе. Я даже решил, что сплю и не могу проснуться, выбраться из кошмара. Затем стало снова темно и катастрофически душно. А потом... потом я увидел тебя. Вот и все...

— Понятно, что ничего не понятно, — кивнула Груша, подставляя ему плечо. Им уже следовало куда-то двигаться от этого страшного места.

Так как лодки и катера у них не было, Груня предложила пойти в сторону от реки, надеясь выйти к людям.

— А ты как здесь оказалась? — спросил Вилли, от которого, несмотря на обстоятельства, пахло дорогим парфюмом.

И Аграфене пришлось рассказать все, что произошло с ней. Вилли даже остановился.

— Невероятно, просто невероятно!

— Вот больше ничего и не говори. Это именно то слово, которое сюда и подходит.

— Я очень благодарен тебе, — тихо сказал Вилли.

— А я, если честно, очень рада, что ушла из отеля и пришла на остров, что залезла на катер...

— Что не испугалась и что боролась за жизнь неизвестного тебе человека, — закончил за нее Вилли. Затем остановился и поцеловал ее в лоб, как целуют детей или стариков.

Сделал это он зря. Потому что почти сразу у Аграфены ушла почва из-под ног, и помощь в поддержании тела в вертикальном состоянии понадобилась теперь ей. Затем они выбирались из леса — долго и мучительно. Много раз им приходилось останавливаться и набираться сил, чтобы двигаться дальше. Во время одной из остановок Груня разодрала на полоски футболку Вилли и как смогла перевязала ему голову — оба сразу не заметили, что у него на макушке зияющая рана, которая кровоточит. А он очень нежно обмыл ее ссадины на руках в ручье, на который измученные путники наткнулись.

Наконец они вышли на дорогу и выяснили, что находятся в окрестностях Будапешта, достаточно далеко от самого города. Стали ловить машину, но те проносились мимо — оба «голосующих» были грязные, мокрые, в крови, а Вилли смущал еще и своим голым торсом (кстати, смущал он им и саму Грушу). Через какое-то время один автомобиль остановился. Водитель с минуту сомневался, глядя на них и не веря сбивчивому рассказу, однако все-таки разрешил странным выходцам из леса сесть в машину.

Глава 9

Они рванули в Будапешт, а именно в больницу.

Позже туда приехал знакомый Вилли комиссар полиции Дебрен Листовец. Он внимательно выслушал повествование о том, что произошло, сначала от Вилли, а затем и от Груни. Что характерно, даже у полицейского, видавшего виды, ничего не нашлось сказать, кроме:

— Ну, надо же как бывает! Удивительно! — И он поморгал растерянно ресницами.

К сожалению, конкретно для следствия потерпевшие ничего полезного не были способны сообщить. Вилли мало что помнил после удара по голове, просто понимал: его убивали, но не понимал, за что. А Груня не видела лиц преступников, запомнила лишь волосатые ноги, обутые в сланцы у одного и в кроссовки у другого, поэтому опознать убийц не могла. И даже какой они национальности, не догадалась. У Вилли к тому же не родилось ни одного предположения, по чьему указанию его должны были утопить в Дунае. Людей, жаждущих его крови, он не знал.

— М-да-а, явный «заказняк», и никаких концов, — обронил озадаченный Дебрен. — Тебя просто «убили», и все.

— Слышать не очень приятно, даже жутковато, — заметила Груня.

— Мне тоже. Но я честно не знаю, кто из моего окружения готов пойти на такое, — повторил Вилли, который очень старался что-нибудь вспомнить. Более всего его сейчас занимало то, что он буквально чудом остался жив и что этим чудом явилась для него Аграфена.

Полицейский очень настаивал, просил и по-хорошему, и по-плохому назвать какое-нибудь имя, пугая, что покушение может повториться, если Вилли не вспомнит, какими своими действиями и кого он подвиг на подобное зверство. Вилли безмолвствовал. И это было страшно, что понимали все. Не устранив причину, трудно добиться положительного результата в борьбе со следствиями...

Однако ни к чему они так и не пришли.

Груня все это время была рядом с Вилли. В больнице ему наложили швы и поставили диагноз — сотрясение мозга, перелом двух ребер, трещина еще трех, ушиб внутренних органов. Вилли все манипуляции медицинского толка мужественно выдержал — и тут же сбежал из больницы. Затем они вдвоем побывали в полицейском участке, где опять же ни к какому положительному выводу не пришли, и наконец отправились восвояси.

— Ко мне? — только спросил Вилли, который выглядел весьма бледно.

— Боюсь, что да. Теперь уж точно. Сроднилась я как-то с тобой... Приросла, так сказать...

— А я уж и не знаю, чем и как тебя отблагодарить.

— Ничего не надо! — даже испугалась Груня. — Главное, чтобы я больше не попадала в такие ситуации.

— Если бы все зависело от одного меня, то я бы поклялся на крови, — тут же откликнулся Вилли.

— И на крови тоже не надо, — поморщилась Груня. — Ой, меня что-то тошнит... Черт!

— Где? То есть что? — вздрогнул Вилли. Они в тот момент вместе ехали на полицейской машине домой. В смысле — в отель.

— Я только сейчас вспомнила, что до сих пор ничего не ела. Забыла даже, что есть хотела.

— Господи, Груня! Вот уж не проблема! Сейчас же угощу тебя, чем захочешь!

— Обещаешь?

— Слово даю!

— И расскажешь мне о себе? — вдруг попросила Аграфена.

— Чего так?

— Должна же я получить бонус — узнать о человеке, которого спасла.

— Я не то имел в виду. Что ты хочешь знать обо мне? И почему?

— Просто интересно, — смутилась Груша.

— По профессии я сценарист и писатель. Заработал на этом поприще прилично. Популярен в большинстве стран, издаюсь под псевдонимом. Театральные постановки у меня расписаны в Европе и Штатах на восемь лет вперед.

— Классно! — от чистого сердца произнесла Аграфена. — То есть ты все равно как-то связан с театром?

— Получается, что так... А большие деньги надо было куда-то девать, вот и вложил в сеть отелей. Это бизнес, а душа, конечно, в постановках. Одним словом, живу насыщенной, полной жизнью и ни на что не жалуюсь. Всем доволен и благодарю бога за талант и признание. Вот и все.

— А личное? — спросила Груня, сама себя не узнавая, что осмеливается задавать подобный вопрос практически незнакомому мужчине.

— Был женат, десять лет как развелся. Когда-то сказал, что больше никогда не женюсь. Но прошло много лет, и готов пересмотреть свои взгляды, — пожал Вилли плечами.

Аграфена смутилась:

— Почему ты это мне говоришь?

— Кто знает...

— Вот никто не знает, и я не хочу! Ты думаешь, что я клеюсь к тебе, что ли? Спросила просто так, не подумав как следует! — фыркнула она.

Вилли засмеялся и тут же схватился за свою зашитую макушку.

— Болит? — участливо спросила Груня.

— Не то слово... Ну и козлы! Да если бы мы лицом к лицу встретились, я бы им показал, можешь не сомневаться. У меня хоть и мирная профессия, но постоять за себя, если что, способен. А такого подлого нападения исподтишка, из-за угла совсем не ожидал. Какие-то отморозки! Ну вот за что меня так?

— То-то и страшно, — задумалась Аграфена. — Ладно, подошли бы к тебе и потребовали: гони деньги! Или там еще чего. Все понятно: приезжие, неизвест-

99

но откуда, напали на богатого человека. Но чтобы сразу — бац и в пакет...

— Ой, не напоминай! — вздохнул Вилли и постучал шофера по плечу. — Останови у «Рица».

— Сделаем, — ответил водитель по-английски, видимо, из-за того, что пассажир обратился к нему именно на английском.

— «Риц» — это что? — заинтересовалась Груня.

— Ресторан недалеко от моего отеля. У меня кухня тоже хорошая, все-таки пять звезд, но в «Рице» самый лучший повар, к тому же мой друг, — пояснил Вилли.

— Чего же твой друг к тебе не пришел работать?

— А он женат на хозяйке «Рица».

— Понятно. А то, что мы так одеты? Ничего для «Рица»-то? — забеспокоилась Аграфена. — Да и вообще неплохо бы сначала отмыться от грязи.

— Там дресс-код строжайший. Галстук, платье...

— Вот и я о том! — еще больше забеспокоилась Груня.

— Говорю же, там друг мой Милош, я к нему — хоть голым.

Художница успокоилась и полностью доверилась спутнику, когда он повел ее вверх по ступенькам к входу в очень красивое здание. Интерьер ресторана соответствовал фасаду — что называется, «дорого и богато». Красное дерево, массивные столы и стулья. Позолота и зеленый цвет валюты преобладали и здесь. Вилли пропустили беспрекословно не то чтобы в ресторан, а даже на кухню. Груня отказалась ждать его в зале и следовала за ним по пятам. Отчего-то она представляла себе повара большим и толстым, в огромном колпаке и с громким голосом, поэтому очень удивилась, когда им оказался маленький, худенький человек, абсолютно невзрачной наружности. На его лице мгновенно появилось выражение беспокойства, едва он увидел, кто к нему пришел и в каком виде.

— О, матерь божья! Что случилось, Вилли! Господи, ты ранен?

— Милош, успокойся, со мной все нормально. Произошло недоразумение. Груня... Милош... — представил он их друг другу.

— Я учился в России, то есть в Советском Союзе, в МГУ, — пояснил Милош, тоже заговорив по-русски.

— На повара? — у Аграфены округлились глаза. — Ой...

— На биолога. Так родители хотели. А господь хотел, чтобы я стал поваром. И у меня классно получается, лгать не буду. Мужчина, стоящий рядом с вами, — мой лучший друг, который обладает самой красивой внешностью. Я — не гей, поймите меня правильно! И когда Вилли приходит сюда с пробитой головой, да еще такой бледный, мне почему-то не очень верится, что все хорошо.

— На него было совершено покушение, — честно сообщила Аграфена, почему-то сразу почувствовав симпатию к Милошу, который явно нервничал. — А больше мы ничего не знаем. Нам и рассказать-то вам будет нечего даже по дружбе.

Милош перекрестился.

— Мы есть хотим, — напомнил ему о цели своего визита Вилли, неудобно себя чувствуя при повышенном внимании к своей персоне.

— Он крови много потерял, — зачем-то добавила Груша.

— Все! Я понял! Идите в вип-кабину, а я сейчас... — У худенького и невысокого мужчины сразу загорелись глаза. Он, как говорится, поймал волну вдохновения, поняв, что другу нужна помощь, и в его голове уже составлялось для него меню с яствами одно лучше другого, чтобы вернуть раненому утраченное здоровье и настроение.

Вилли взял руку Груни в свою сухую и теплую ладонь и повел ее в известном ему направлении. А она почувствовала себя очень счастливой от того, что просто так вот шла с ним за руку. И вдруг сама ужаснулась от осознания того, как же мало ей в жизни надо.

Вип-кабина превзошла все ожидания Груши, так как это оказалась белоснежная беседка, оплетенная зеленым плющом и цветами. Круглый стол под белоснежной скатертью с кружевными салфетками, расставленными по краю, словно солдаты, встречающие своих посетителей навытяжку.

— Принеси нам что-нибудь на свой вкус, — попросил Вилли.

— Конечно, друг мой! Я лично все приготовлю и сам вам принесу. Все будет хорошо! — Милош задумался. — А вот вы выглядите не очень хорошо. Даже очень не хорошо. Но я это вроде уже говорил...

Рот маленького мужчины сложился в скорбную подкову. Он посмотрел на голубое небо, вдохнул аромат цветов и размашистым шагом направился на кухню.

А его гости посмотрели друг на друга.

— Ну и видок у нас в самом деле... — отметила Аграфена.

— А я подумал о том, что судьба послала тебя сюда не случайно, — очень тепло посмотрел на нее Вилли.

— Ты все о том, что я спасла тебя? Забудь! Я действовала на автопилоте. Любой нормальный человек сделал бы то же самое. Я сама не понимала, что творю от испуга.

— Любой нормальный человек спасал бы свою шкуру, бежал бы от места преступления как можно дальше. Ну, может быть, потом, оказавшись вне опасности, сообщил бы в полицию.

— А я и себя спасала, и тебя заодно, — отмахнулась Аграфена. — Меня больше волнует, что те двое преступников на свободе остались. Жаль, что я их не опознаю. Только ноги и видела, боялась больше высунуться. Голоса, конечно, помню, но чтобы опознать... Со слухом у меня, кстати, не ахти. Единственное, что я обещала полицейским, так это на днях съездить на остров и поискать там тот самый катер.

— Это очень опасно.

— Чем? Убийцы не видели меня. И вообще даже не знают, что я вместе с ними проделала путь от места стоянки до... до твоей могилы. И конечно, не в курсе, что еще и тебя выкопала. Думаю, сейчас они совсем не напряжены, а наоборот, расслаблены и не ожидают подвоха, — возразила Аграфена.

— Все равно опасно тебе одной искать мерзавцев. Я пойду с тобой! — вызвался Вилли.

— А вот это совсем лишнее. Тебя-то они видели. Если заказ на тебя был, то знали, на кого нападали, и внешность твою очень хорошо изучили! Вот удивятся, увидев тебя в живых!

— Как раз и выискивать их так надо — кто сильнее удивится, тот и виноват, — улыбнулся Вилли.

— Боюсь, что такой аргумент не для полиции, — вздохнула Груша.

К ним приблизился Милош с большим блестящим блюдом-подносом под крышкой. И грациозным движением снял крышку:

— Алле!

Груня сразу же отметила, насколько шикарно оформлены блюда. На двух больших тарелках из тончайшего белого фарфора на листьях салата многих разновидностей были выложены морепродукты, а именно: королевские креветки в какой-то глазури с прослойкой из лайма, аппетитные осьминожки, щупальца огромного краба в виде шалаша. Все это великолепие окружало аккуратный кубик белого рыбьего мяса, проткнутого шпажками, дополненными экзотическими фруктами.

— Я решил, что после перенесенного стресса на мясо не потянет, а рыба — это и белок, и витамины, и легкая усвояемость. Да и просто вкусно! — представил повар свое произведение и поставил перед гостями тарелки.

— Спасибо, выглядит впечатляюще! — загорелись глаза у Вилли.

— А как бороться с панцирем? — осторожно спросила Груша.

— Я тебе покажу, тут есть все необходимые приборы. Следи за мной, — тихо ответил Вилли.

— Вино, друзья мои, я для вас выбрал красное, но максимально подходящее к вашей ситуации. Я смотрю, у вас и кровопотеря была? Так вот, кровь лучше

восстановится от красного сухого, — продолжал радовать повар.

— Спасибо тебе, Милош! Присядь с нами, а? — пригласил друга Вилли.

— Нет, увы, меня ждут на кухне. Много посетителей. Да и мои подручные много чего без моего присмотра не делают. Но я обязательно навещу тебя дома, — попрощался Милош. И удалился с многообещающими словами: — С меня еще десерт!

— Мы тут едим... А мои коллеги? — вспомнила о театральной труппе Груня и чуть не подавилась.

— Повода для беспокойства нет, я отдал распоряжение, что все твои спутники могут кушать в ресторане моего отеля сколько хотят и когда хотят. А тебя привел сюда, чтобы хоть немного побыть с тобой наедине. Я ведь тоже не знаю ничего о тебе. Расскажи.

И тут Аграфена поняла, что абсолютно не горит желанием рассказывать что-либо о себе, настолько в ее душе все было закрыто. Она взяла фужер и сделала глоток.

— Вот ничего не понимаю в вине, но чувствую, что это — очень хорошее. А про меня... Я художница, не очень удачливая. Говорят, что есть талант к оформлению сцены, но пробиться в мастера не удалось — не было связей, ни с кем спать не захотела, да и меня особо никто не домогался. Наверное, везения не хватило.

Груня запнулась, словно наткнулась на барьер.

— Если не можешь, не говори, — коснулся ее руки Вилли.

— Нет, я скажу. Причем впервые. А ты просто помолчи, не комментируй. У меня был ребенок,

дочка, она погибла. Осталась внучка, я ее удочерила, так и живем. Я ее безумно люблю. А замужем я никогда не была. И мужчины рядом не было. Так вот сложилось. Говорить мне об этом тяжело, и очень больно, когда кто-то лезет в душу.

Воцарилось молчание. По глазам Вилли она поняла, что тот ошарашен и воспринял ее слова близко к сердцу, как человек творческий и, соответственно, эмоциональный.

— А я ведь не хотела сюда лететь, — задумчиво продолжила Груня, хрустя мясом королевской креветки. — Режиссер уговорил, мол, я должна написать портреты стариков, его друг Марк очень просил. Бред какой-то. Оказывается, все неправда. Только зачем твой бывший отчим лгал?

— Я думаю, что настал момент. — Вилли с серьезным видом наполнил бокалы вином потрясающего, как бы играющего цвета.

— Момент для чего? — слегка испугалась Аграфена.

— Я даже не знаю, как ты отреагируешь. И можно ли к этому подготовить. Или лучше вот так сразу сказать, и все? — снова выдал загадочные фразы Вилли.

— Ты пугаешь меня. Говори уже быстрее, если начал, — занервничала Груня.

— Видишь ли, Марк не просто так вышел на ваш театр, вовсе не по старой дружбе. У него был умысел. И тебя вытащил именно с умыслом. Незадолго до смерти Марк признался мне, что прожил жизнь как перекати-поле и что на нем много греха, вот и пришла расплата. Но ничего изменить уже, к сожалению, нельзя, но хоть одно хотелось бы исправить. В общем,

ты — дочь Марка. Он это знал, однако не принимал участия в твоем воспитании.

— Опа! — искренне удивилась Груня. — Вот так расклад! А это точно?

— Точнее не бывает. Ты — единственный ребенок, о существовании которого он знал точно, поэтому перед смертью и решил с тобой хотя бы познакомиться. Но такова уж ирония судьбы — не успел. Я надеюсь, ты не очень расстроилась?

— Я? Да я просто в шоке! Нет, конечно, плакать не буду и в истерике биться не собираюсь... Никогда не знала своего отца и грустить по нему не могу. Просто неожиданно, что я именно вот так узнаю о том, кто был мой отец. Странно, в последнее время все в моей жизни происходит как-то неожиданно, словно кто-то прикоснулся к моей жизненной дороге волшебной палочкой.

Груня отпила вина, посмотрела в лицо Вилли. И ее посетило доселе неизвестное чувство какого-то кайфа — белая беседка, изумительная кухня, яркие цветы и такой потрясающе красивый мужчина напротив... Было в этом что-то нереальное, неестественное, словно из жизни, описанной в модном журнале. Этакий затянувшийся сон...

— О чем думаешь? — вклинился в ее мысли Вилли.

— О нереальной ситуации для себя, — честно ответила Аграфена.

— Словно на фотосессии для модного журнала с моделью-геем? Разыгрываете любовь, а чувств — ноль?

— Стопроцентное попадание! — Груша рассмеялась. — Ой, прости, тебя я не хотела обидеть.

107

— Я не обиделся. Мне одна дама как-то сказала, что я настолько хорош, что она уже все поняла и приставать ко мне не будет, потому что стопроцентно я — гей. Вот так поставила клеймо, и все. И не переубедить.

— Тебя это радует?

— Скорее веселит. К реальности ее слова не относятся ни на йоту.

— Но ты знаешь, что очень красив? — Груня кокетливо опустила ресницы.

— Ты так спрашиваешь, словно я виноват в этом.

— Но ты знаешь?

— Знаю. И говорили мне, и сам знаю. Довольна? Только я не думаю, что красивая внешность главное в жизни для мужчины. Как-то старался работать, используя не красоту, а ум. Надеюсь, чего-то все же достиг в своем умственном и духовном развитии.

— Говорят, что достиг, — подтвердила Аграфена, наслаждаясь едой и вином. Да что там говорить — и воздухом, и цветами, и обществом красивого мужчины. Снова затягивала ее карусель сна. Устраивало все.

— Завтра у вас будет репетиция в театре, а через двое суток первый спектакль, — сменил тему Вилли. — Декорации я уже направил в театр, но что там для чего, для какого спектакля, ты сама должна разобраться.

— Конечно же, я пойду на первую же репетицию. Не переживай, если наши соберутся, все пройдет удачно. Ну, не лучшие в России актеры, но...

— Да понимаю я все! Наш-то театр тоже не особо известен. Русскоязычные еще ходят, когда кто в Будапешт приезжает.

— Но для нашей труппы заграничные гастроли все равно событие, и люди надеются заработать, — заметила Аграфена.

— Я все, что обещал, сделаю. Могу выплатить заранее, чтобы никто не волновался, — пошел на крайнюю меру успокоения Вилли.

— Нет! Вот заранее не надо! — наоборот, обеспокоилась Груня. — А то обленятся, не будут стараться, напьются еще... Главный наш герой и без того закладывает.

— Что закладывает? Вещи в ломбард? Он нуждается? — Вилли округлил свои красивые синие глаза.

— Да за воротник закладывает! Так что денег не надо.

— Как скажешь. А мы с тобой должны еще зайти к нотариусу. Завтра с утра и поедем.

— Зачем? — удивилась Груша, но отвлеклась — официант принес десерт, поразивший ее воображение. Это были два лебедя из чего-то похожего на зефир, реально плывущих по клубничному сиропу с лепестками мяты и кусочками фруктов. — Ого! — ахнула она от неподдельного восторга. — Я такого никогда даже в кино не видела!

— Фирменный десерт Милоша. Мой друг постарался, — рассмеялся Вилли. — Знаешь, после того как я впервые увидел его лебедей, они мне даже приснились.

— Так зачем мне к нотариусу? — вернулась Аграфена к деловому разговору.

— Марк перед смертью сообщил, что составил завещание в пользу своей дочери, к знакомству с которой готовился.

— Завещание? Вот уж не ожидала.

— У Марка ничего и не было. Он явился ко мне в каком-то абсолютном «бомжеватом» состоянии. Боялся даже, что не приму, а идти ему было некуда. Так что я не знаю, что он мог тебе завещать. Но завещание есть. Может, что припрятал на черный день или для тебя?

— Ладно, сходим, — кивнула Груня и приступила к десерту — откусила голову лебедю, макнув ее в клубничную подливу.

— Думаю, тебе придется остаться здесь, — посмотрел на нее Вилли.

— Почему?

Сердце у Груни забилось. Ей вдруг, после выпитого вина, привиделось, что сейчас красавец-мужчина предложит ей руку и сердце и попросит остаться с ним в Будапеште. Она посмотрела на свой безымянный палец и подумала о том, что никогда в жизни она не носила на нем кольца. Самое время начать, а то «застоялся» ее пальчик без ювелирного украшения.

— Помнишь, я говорил, что купил для Марка русский театр, дабы потешить его на старости лет?

— Старость надо уважать, — поддержала Груша.

— Я и уважаю. Поэтому подарил ему театр.

— И что?

— Ты не понимаешь? У него больше ничего не было, так что, скорее всего, он тебе театр и завещал. И ты должна продолжить...

Груша внимательно посмотрела на своего визави.

— А не попросить ли тебе еще бутылочку?

— Не вопрос! — заверил ее Вилли.

И вскоре им принесли вино — тоже красное, но другое, немного слаще, все-таки они уже приступили к десерту.

Зачем коту копыта?

— Ты считаешь, что я могу войти завтра в театр не как художник-оформитель, а как владелец? — с улыбкой спросила Аграфена.

— После улаживания всех формальностей — вполне возможно. У меня была такая мысль: если есть завещание, то оно как раз по этому поводу, другого не представляю.

— Очень неожиданно, — округлила глаза Груша. — Зачем мне театр? Да еще в Будапеште?

— Я и говорю, придется тебе здесь остаться, — подмигнул ей Вилли.

— А продать его можно будет? — спросила художница, явно не желая оставаться в Венгрии.

— Все можно, — вяло кивнул Вилли, — только сначала надо получить.

— Да, давай не будем делить шкуру неубитого медведя, — согласилась Груня. — Когда ознакомимся с завещанием, тогда и решим, что делать... Какая же вкуснятина! Как тебе повезло с другом!

После ужина они поехали в отель, где Аграфену встретила Татьяна Ветрова со слезами на глазах:

— Дорогая моя Грушечка! Прости меня, пожалуйста! Нас уже тут так напугали! Это все из-за меня, из-за старой дуры! Вот зачем я не пустила тебя к себе? Но вдруг так захотелось одиночества и полного расслабления в этом чудном месте... Это я во всем виновата из-за своего эгоизма! Прости меня!

Груня, если честно, настолько была рада, что все остались живы, что сама выбралась из жуткой передряги да еще и Вилли спасла, что на Татьяну совсем

не держала зла. О чем ей и сообщила. А вот от предложения делить с ней номер отказалась.

— Я что-то за это время так привыкла к Вилли, что поживу в его апартаментах, а заодно и присмотрю за ним, — ответила актрисе Аграфена.

К слову, Вилли очень даже обрадовался, что она согласилась остановиться у него.

Груша долго не могла заснуть, ворочаясь на широченной постели. Вилли ничем не тревожил ее покой. По полоске приглушенного света и тихому стуку компьютерных клавиш, который ее убаюкивал, было понятно, что владелец отеля сидит за своим столом и работает. А потом свет погас. Наконец-то сон окончательно сморил и Аграфену.

Глава 10

Утром ее разбудили чириканье птиц за окном и аромат кофе. Проснуться под такой «аккомпанемент» было необыкновенно приятно.

В комнату заглянул Вилли с довольным лицом:

— Я не знал, предпочтешь ли ты позавтракать в ресторане или в номере, но очень захотел за тобой поухаживать, поэтому, не спросясь, принес все сюда.

— Хорошо. Я приму душ и приду, — ответила Груня.

Завтрак Вилли приготовил весьма обильный, но художница налегла на йогурт и фрукты, вспомнив вчерашние излишества и сразу же округлившийся животик. Ну а за приятной беседой и парой чашек кофе пошли на «ура» пышные булочки с джемом.

Именно за этим занятием в кабинете Вилли их и застала труппа русских артистов, которые сначала заглядывали по одному, а потом ввалились все вместе.

— Вот где наша Грушечка! Мы ждем ее да ждем в общем ресторане, а она уже и живет, и завтракает в обществе хозяина отеля, — промурлыкала

Татьяна. — Вот тебе и на! Я еще учила ее, как соблазнить мужчину, а она и сама всем фору дать может! Поздравляю!

— Не знаю, с чем пожаловали, но на всякий случай спасибо, — ответила Груша, заметно покраснев.

А вот на Настеньку даже смотреть было неприятно — так перекосилось у нее лицо от злости и зависти. Еще бы, такая мизансцена — не она, а художница с таким красавцем!

«Все-таки плохая из нее актриса, — решила про себя Аграфена, — абсолютно не умеет скрывать свои чувства. Эмоции на лице читаются, как открытая книга».

Настя между тем, поджав губы, произнесла:

— В тихом омуте, как известно...

А режиссер Эдуард Эрикович развел руками:

— Не ожидал от тебя, Груня. Мне отказала, а...

— В чем вы меня обвиняете? С ума все посходили? Я что, отчитываться должна? — нахмурилась Аграфена.

— Я ни в чем не обвиняю. Просто... Когда ты успела охмурить нашего красавца хозяина? И чтобы вот так, в первый же день, согласиться... На тебя не похоже. А мы за тебя волнуемся — ты ведь женщина неопытная. Вот бросит он тебя потом, и будешь переживать! А я буду ходить за кулисами и наверх посматривать, не повесился ли где тут мой художник-декоратор от несчастной любви?

«Все-таки у режиссера довольно своеобразное видение действительности», — подумала Груша.

— А это наше личное дело, господа туристы, вам не кажется? И было ли что, и будет ли, и бросит ли кто... — встрял Вилли и пригласил всех располагаться, где кто хочет. Затем предложил: — Завтрак?

— Мы уже позавтракали, но хотим почувствовать себя аристократами! — с пафосом произнес Эдуард, впихивая свое большое тело в кожаное кресло (Груне даже показалось, что подлокотники жалобно затрещали от такой нагрузки, и вертикальной, и горизонтальной).

— Я могу вам помочь? — удивился Вилли. — Что надо сделать, чтобы вы почувствовали себя аристократами?

— Я так понимаю, что Эдуард Эрикович хотел сказать, что аристократы с утра пьют шампанское, — предположила Груня. — Но лично я думаю, что это лишнее перед репетицией.

— А я считаю, что как раз бокал холодного шампанского придаст нам определенный полет фантазии, энтузиазм и раскованность. Не мсти мне, моя любимая бестия! — погладил себя по животу режиссер.

— Вот раскованности нам только и не хватало... — покачала головой «бестия» и развела руками.

Вилли, естественно, как любезный хозяин не мог отказать в просьбе, и в его кабинет был доставлен ящик дорогого шампанского. Полетели к потолку пробки, началось веселье. Настя присела рядом с Вилли, обнажив не только коленки, но и еще сантиметров сто ног, а также, как показалось Груне, продемонстрировав кромку нижнего белья, если таковое на ней вообще было.

— Извините, Вилли, а вы просьбы всех женщин выполняете?

— Не всех, — мягко отстранился от нее мачо и откупорил следующую бутылку, разливая незваным

гостям. — Чуть позже я лично отвезу всех в театр, и вы сможете репетировать, — пообещал он. — А сейчас мы ждем нотариуса. Груня, я пригласил его на дом, чтобы нам с тобой никуда не нужно было ехать.

— Мне все равно, — растерялась та, не в силах не обращать внимания на ноги Насти.

— Какой нотариус? Что случилось? И почему это касается нашей Груни? — заволновалась Татьяна.

— Тот человек, к кому вы прибыли в гости, Марк Тарасов, оставил завещание, и сейчас его нам озвучат.

— А при чем Аграфена?

— Она его дочь, — сначала коротко ответил Вилли, а затем принялся пояснять и поведал все, ранее сказанное Груне, чем занял народ разговорами минут на двадцать.

Самой Груне тоже пришлось держать ответ: что она ничего этого не знала, что мама ей так никогда и не призналась, кто ее отец, что открылось все только сейчас, и она в таком же неведении, как и остальные. До сих пор не пришедшее в себя лицо Татьяны Ветровой исказилось еще больше.

— Так, значит, у тебя отец нашелся?

— Понятно теперь, почему Марк настаивал именно на твоем приезде! — догадался Эдуард Эрикович. — Ну, хоть один пазл встал на свое место!

— Выходит, Груне может что-то перепасть от него по наследству? — спросила Настя, чувствуя, что ее сейчас хватит удар. Мало того, что художница, эта «старуха», отхватила самого красивого здесь мужика, к тому же богатого, так ей еще и наследство светит! Просто ужас! Даже молодые и ядреные нервы Анастасии не могли вынести подобного потрясения.

Зачем коту копыта?

— Мы ничего толком не знаем, — успокоила ее Груня. — Вообще-то Марк Тарасов был беден. Единственное, что у него имелось, — это театр, который ему приобрел по доброте душевной Вилли.

Нотариус не заставил себя долго ждать, явился точно вовремя и очень удивился количеству народа, присутствующему в номере. К тому же народ был очень шумный и несколько пьяный.

— А мы все ждем завещания! Все хотим поздравить нашу Грушечку! — заявила Таня, подступая к юристу с бокалом наперевес, а Вилли перевел.

— Просто жаждали бы стать наследниками, — по-своему объяснила ситуацию Аграфена, естественно, на английском языке, так что почти никто ее не понял. Нотариус, аккуратненького вида невысокий и неполный мужчина в летнем отглаженном костюме, светлой рубашке и нежно-голубом галстуке, расположился за столом и достал кейс с документами. Щелкнул замок, и юрист вынул папку с документами, а оттуда и сами документы, все в каких-то веревочках и печатях.

— Не томите! — взмолилась ведущая актриса Ветрова. — Вы сами не можете, что ли, сказать, что там? Вы же составляли!

Вилли перевел. Юрист прокашлялся.

— Во-первых, такие вещи требуют повышенной честности и внимательности, тут «абы как» не пройдет. Во-вторых, тысячи людей составляют завещания, причем часто за много лет до того, когда они могут понадобиться... Я не могу помнить все. Итак... — Мужчина вытер лоб носовым платком.

Началась вступительная часть, кто и в каком здравии при составлении завещания находился. Ну а дальше шла самая значимая часть — по имуществу.

— «Свои сбережения в размере десяти тысяч долларов, — читал нотариус, — завещаю своей единственной наследнице Аграфене Романовне Пичугиной, такого-то года рождения, имеющей российское гражданство».

— Велика сумма! — фыркнула Настя.

— Здесь прилагается номер счета в банке, где ей выдадут деньги по завещанию, — пояснил нотариус. И продолжил: — «...Свой театр в городе Будапешт я завещаю моему другу Эдуарду Эриковичу Колобову».

После этих слов все присутствующие дружно посмотрели на режиссера. Сам Эдуард, казалось, вот-вот потеряет зрение, так как глазные яблоки просто выпадут от удивления и покатятся по паркету апартаментов Вилли.

— Мне? Господи, совсем не ожидал. Он что, под старость с ума сошел? Зачем мне все это?

Груня оставалась совершенно спокойной, зато настала очередь Насти порадоваться и позлорадствовать.

— Ой, какая неожиданность! Только что найти отца, узнать, что он оставил завещание, понадеяться, что хоть перед смертью, как бы прося прощения, тот отвалил хоть что-то, а тут — на тебе! Что и было, театр, завещано другу!

Татьяна Ветрова с неприязнью посмотрела на Настю.

— Ну и злая же ты... И эта сучка метит на мое место, желает стать ведущей актрисой? Доброты в тебе не хватает, доброты!

Зачем коту копыта?

— Да, я обязательно стану звездой! Ты-то ведь уже сдаешь, старушка! А уж при таком перекошенном лице зрители вряд ли осыплют тебя цветами. Хорошо бы ржать не начали прямо сразу!

— Мое перекошенное лицо закончится через полгода, а твоя злобная душонка останется с тобой на всю жизнь! — достойно ответила на ее реплику Татьяна.

— За полгода много воды утечет, — прошипела Настя, словно гремучая змея.

— Девочки, прекратите! — остановил перепалку Эдуард Эрикович. — Что вы в самом деле? Да еще при посторонних. Что про нас подумают? Стыдно! Мы же всем говорим, что мы — самая дружная труппа, почти семья. А на деле выходит, все друг другу просто враги?

— А тебе я, Эдик, вот что скажу... — обернулась к нему Ветрова, всем своим видом показывая, что зря режиссер привлек к себе внимание своей глупой болтовней. — Я знаю, что ты любитель женщин. Да что там говорить, все знают, что ты просто бабник, если не сказать грубее. И всегда таким будешь. Но мне все равно, сколько баб у тебя было, есть и будет. Только если ты заменишь меня лично на эту тварь, я уничтожу вас обоих! Пусть это будет последним моим деянием в жизни, но я так и сделаю!

— Таня, успокойся! Стыдно же... — побагровел Колобов.

— Стыдно иметь столько любовниц! И я все понимаю, век актрисы короток для определенных ролей... Но пусть будет кто угодно, только не она! Давай вон Груньку в актрисы толкнем? Ну нет у нее специального образования, зато талантливая. Я ее подтяну, и получится!

В апартаментах воцарилась тишина. Груша, которой было все равно, оставил ей Марк Тарасов что-то или нет, была готова провалиться сквозь землю от стыда за своих друзей. Она всю жизнь жила без отца, никогда ни от кого ничего не ждала, сама всего добивалась, и сейчас ей от Марка тоже ничего не надо было, и это было правдой. А играть на сцене она никогда бы не стала — это уж был крик отчаяния Татьяны. Аграфена считала, что все должны заниматься своим делом, хуже всего в любой профессии — отсутствие профессионализма.

Вежливый нотариус выждал еще немного и прокашлялся, словно желая напомнить о себе, о своем присутствии. Наверное, он уже привык, что после зачитывания завещания среди людей возникают распри, склоки, споры и ссоры. Не зная русского языка, он подумал, что и тут две дамы суетятся из-за того, что их обеих «прокатили» с наследством. Не понимал юрист только того, почему суетятся все, кроме той самой наследницы, которой досталась только небольшая сумма денег. Ведь старинное здание театра завещателем было отдано мужчине, не являвшемуся родственником покойного. И этот мужчина, судя по цвету его лица, тоже нервничал.

— Извините... — снова покашлял нотариус.

— Да, господин нотариус.

— Здесь есть еще письмо, приобщенное к завещанию и написанное на русском.

— Можно я прочту? — вызвалась Груня.

— Только вслух! — предупредила Татьяна. — Раз уж начали при всех, то и закончиться должно при всех. А то я сегодня не засну.

— Хорошо, — кивнула Аграфена и развернула листок. — «Дорогие Вилли, Груня, дружище Эдуард... Если вы читаете это послание, то так легли карты, что лично я вам это уже не могу сказать. Тебе, Вилли, мое большое человеческое спасибо. Ты — настоящий мужик с щедрой и незлобивой душой. Кто я тебе? Да никто! Не смог стать тебе отцом, не сделал счастливой твою мать. А все мое блудливое нутро! И несмотря на это, ты протянул мне руку помощи, когда я в ней нуждался больше всего. Мало того, ты обеспечил мне достойную жизнь, купил театр, которым я жил последнее время, который скрасил мои последние годы. Спасибо тебе, Вилли! Надеюсь, ты не обидишься, что я не отдал тебе то, что ты купил. Я знаю, тебе этот театр не нужен. Лишняя головная боль. Ты самодостаточный и богатый человек с большим талантом. Тебя ждут во всем мире.

С дочкой со своей говорить не могу — нечего сказать. Непутевый у тебя, Груша, папаша был. И ничего я тебе оставить не смог, жалкие гроши. Отдам тебе их, конечно, не обессудь. Надеюсь, ты все-таки найдешь свое счастье и не будешь проклинать своего беспутного отца. Не могу сказать, что я раскаиваюсь. Я не знал тебя никогда и не могу ни о чем сожалеть. Но если бы мне выдался шанс начать жизнь заново, я бы все изменил. И все-таки, дочь, напиши портреты моих единственных родственников: бабушку и дедушку. Напиши их портреты! Они — единственные родственники, что у меня были. Это и твои корни, хоть что-то знать будешь...»

— Ой, я не могу! — прервала чтение Настя. — Нарисуй портреты бабушки с дедушкой... И это

121

в завещании? Умереть не встать! Вот так повезло Груне! Опять он про те дурацкие портреты, даже в завещании!

— Главное, чтобы тебе повезло, — кинула на нее хмурый взгляд Аграфена. И продолжила: — «Ну а моему другу Эдуарду я отдаю то, в чем он разбирается, — театр. Два ему не поднять, но у него есть коммерческая жилка, он что-нибудь придумает, и это поправит его положение. Я когда-то отнял, сейчас время раздавать долги. Больше мне сказать нечего. Очень грустно, когда в конце жизни вот так больше нечего сказать. А я-то считал, что она у меня была весьма насыщенная... Я люблю вас. Не поминайте лихом. Ваш Марк Тарасов».

Груня дочитала письмо до конца и снова задумалась. Она совсем не знала своего отца и так и не узнает. И самое интересное: даже единственное и последнее, что от него осталось, завещание, совсем не помогло в узнавании этого человека. Даже еще больше все запутало. Сказать, что оно странное, — ничего не сказать.

— Да-а-а... — протянула своим громким, поставленным голосом Татьяна, видимо, подумав о том же самом.

— А я знаю, в чем Марк провинился перед нашим Эдиком, — пискнул Николай Еремеевич, но его голос потонул в общем гуле.

Все кинулись поздравлять новоиспеченного хозяина будапештского театра для русскоговорящих Эдуарда Эриковича Колобова. Громче всех кричала Татьяна:

— Эх, знала бы я, Эдик, что ты станешь под старость таким богатым, фиг бы ты у меня сорвался

с крючка... Может, еще замутим? Я стану совсем другой — милой и домашней, обещаю!

— Что ты такое говоришь, Таня? — смутился Эдуард. — Какая старость? Какие наши годы? Но черт возьми, друзья! Что мне с этим нежданным приобретением делать? К чему мне здешний театр? Зачем?

— Да ты бери! Не отказывайся! А там разберемся! — советовали ему со всех сторон.

— Ты заслужил. Всю жизнь суетился, хотел чего-то добиться, о других переживал... Но с нашим бюрократизмом и со своим прямым и честным характером не смог выбиться, а сейчас вот заслужил... — покачал головой Николай Еремеевич.

— Надеюсь, ты не собираешься отказываться от наследства? — крикнул кто-то из задних рядов.

— Нет! — горячо заверил Эдуард. И вдруг добавил: — Я хочу отдать свое наследство Аграфене. Женщины — Таня и Настя — с недовольством посмотрели на упомянутую. С ней они спать и выйти за нее замуж не могли, поэтому известие им не понравилось.

— Почему мне? — оторопела сама Груша.

— Я чувствую себя неловко, Груня. Ты его дочь, тебе и должно все достаться.

— Но мне это совсем не надо... Эдуард, я художница, я совсем не хозяйственница и совершенно не знаю, что надо с театром делать. Так что Марк Тарасов, который тебя знал, рассудил правильно. Он тебе театр завещал, пусть тебе и остается, — подытожила Аграфена.

— Странно вас слушать, господа, — снова подала голос Ветрова. — Обычно люди дерутся за наследст-

во, а вы, наоборот, отбрыкиваетесь от доставшегося куша.

— Я считаю, что прежде чем отнекиваться, надо сначала посмотреть, от чего отказываетесь, — вмешался в разговор Вилли, и все с ним согласились, рассмеявшись.

— Чего это мы, правда? Еще не видели даже тот театр... Может, там дворец, а может, сарай. Вот ведь какие мы люди эмоциональные, совсем без рационального мышления!

Труппа загрузилась в лимузин, и шофер повез всю шумную компанию по уже известному ему адресу. Народ, ошалевший от известия, что их Эдуард Колобов внезапно стал богатым наследником, и подогретый шампанским, без умолку тарахтел.

Груня узнала знакомый ажурный мост и забеспокоилась:

— Мы едем на остров?

— Да, театр находится там. Я же говорю, отсюда недалеко, — подтвердил Вилли.

— Неприятные воспоминания...

— Зато вы потом здорово сблизились. После таких выбросов адреналина бывает классная сексуальная разрядка, — съязвила Настя.

Но Груня не отреагировала на ее реплику.

— Когда ты будешь опознавать катер? — спросил Вилли.

— По горячим следам, по моим описаниям, его не нашли. Сегодня вечером комиссар полиции будет меня ждать как раз здесь, на острове. Мы пройдемся по всему берегу в поисках катера.

— Долго вам ходить придется... Остров-то приличных размеров, и катеров тут много.

— Что ж, я готова. Лишь бы найти убийц.

— Ой, не говорите такие ужасные вещи! — пискнула юная гримерша Яна. — Можно подумать, что убийцы до сих пор на острове!

— А я думаю, что их здесь нет, — возразила Татьяна. — Они же сделали, что хотели, то есть захоронили Вилли, поэтому должны были уехать.

— Здорово! Значит, душегубов не найдут? — не понравилась мысль Ветровой режиссеру.

— Вам просто не угодишь. И так плохо, и эдак плохо, — засмеялась Настя. — А что, если они уже знают, что Вилли выжил, и вернулись, чтобы закончить начатое?

— Вот типун тебе везде! До чего же злющая девка! — снова не сдержалась Татьяна.

— А как тут не злиться, если некоторым достаются роли, мужики... а некоторым ничего?

— Бедная ты наша... — всплеснула руками Таня. — У тебя еще все впереди!

— Опять началось, — философски заметил Николай Еремеевич, явно чувствующий себя не в своей тарелке.

Лимузин проехал по центральной аллее и свернул направо.

— Вот и театр! — Вилли вышел из машины.

Глава 11

Люди гурьбой высыпали следом — прямо во двор прямоугольной формы перед двухэтажным старым зданием с лепниной темно-желтого цвета и зеленой крышей. Это был не сарай и не дворец, а нечто среднее, выглядевшее очень достойно.

— Какое милое здание! — воскликнула Татьяна. — Напоминает какой-то музей.

— По-моему, маловато для театра, — высказал свою точку зрения Николай Еремеевич.

— Да, театр небольшой, но зал все равно обычно неполный, — пояснил Вилли. — А здание в самом деле историческое. Кстати, в длину оно больше, чем видно с фасада. И здесь всегда был какой-нибудь объект культуры. Сейчас вот частный русский театр. Идемте!

Люди двинулись по гравийной дорожке мимо сухих кустов роз и разросшихся кустарников.

— Сад заброшен, — обронил кто-то.

— Садовников нет, — ответил Вилли, — из обслуживающего персонала всего пара человек, чтобы хоть

как-то поддержать порядок. Они же на подхвате, и билеты продают, если что... Конечно, в дело надо вкладываться, развивать, чтобы зрительный зал был полон. Если зрелище стоящее, поднимать цену билетов, тогда будет не только окупаемость, но и прибыль. То есть театром надо серьезно заниматься. Теоретически я бы смог, но мне совершенно некогда, времени и так мало, чтобы взваливать на себя еще и это, — честно сказал Вилли, доставая ключ странного, какого-то допотопного вида и открывая им старинные двери, двойные, но рассохшиеся, с плохим притвором.

Прибывшие вошли внутрь почему-то с замершей душой, как входят в пустующие дома, словно боясь привидений, и сразу же ощутив специфический запах затхлости и старости. Возраст строения, что удивительно, воспринимался всеми органами чувств. Люди несколько притихли и двинулись по театру, задрав головы кверху и открыв рты. Поражали росписи на потолке, лепнина по стенам, богатая внутренняя отделка, правда, весьма уже пошарпанная. Люстры, весьма оригинальные, висели почему-то через одну, торчали оголенные провода.

Пустой гардероб с номерками и без номерков на крючках — похоже на щербатые челюсти. Два туалета, на дверях — треугольник вершиной вниз и треугольник острием вверх.

— Интересно, а геи и трансвеститы в какой туалет ходят? — задал неожиданный вопрос Николай Еремеевич.

Народ засмеялся.

— А почему именно тебя это интересует? Да ходи, Коля, куда хочешь! Здесь все свои! — посыпались со всех сторон советы.

Татьяна Луганцева

Они обошли фойе, увидели зеркальную стену с трещинами в двух местах, огороженную барной стойкой из полированного красного дерева.

— Смотрите-ка, здесь буфет может быть. Очень даже милое место. Явно кто-то хотел осовременить здание и начал почему-то с буфета. Конечно, требуется ремонт, капитальный или хотя бы косметический.

И вот настал торжественный момент — все замерли перед входом в зрительный зал. Первым доверили войти новому хозяину, режиссеру Эдуарду Эриковичу. Колобов осмотрелся. Какие чувства посетили его первыми, неизвестно, но по лицу было понятно, что он впечатлен и что ему здесь нравится. Зал был небольшим, очень уютным и комфортным, круглой формы, с высоким, куполообразным потолком и резким подъемом пола от рампы к задним рядам. В таком зале зрителям очень удобно — голова впередисидящего не загораживает обзор. Сцена тоже вроде бы была небольшая, но это оказалось оптическим обманом из-за общей компактности помещения, на самом деле она занимала солидное место. Стены были черные, с лепниной, украшенной позолотой. Также на стенах висели тяжелые подсвечники, похоже, старинные, бронзовые, кроваво-красные тяжелые бархатные портьеры. Обивка сидений кресел — из той же ткани. От черно-красной гаммы общее впечатление весьма гнетущее, словно классический гроб из фильма про вампиров.

— Все бы сделала не так... все... — задумалась вслух Аграфена, осматриваясь с невольным ужасом. — Такое небольшое помещение — и такое темное. Нужны свет, пространство. Хотя бы белый потолок...

128

Золото очень тяжело смотрится, его по минимуму... На стулья не бархат, и не красный... Да я бы все здесь переделала!

— Много ты понимаешь! — фыркнула Настя, отбивавшая фривольную чечетку на сцене, проверяя на прочность.

— Груня — прекрасная сценическая художница, к ее словам надо прислушаться, — не согласился Эдуард Эрикович. И совершенно серьезно спросил у Груни: — А какого цвета ты видишь кресла?

— Я бы сделала верхний ярус темно-синим, затем плавный переход к изумрудному, синему, голубому. И ярко-желтая сцена. Словно волна подкатила к пляжу. Здесь остров, много зеленого, и кругом вода, при подъезде к театру это уже настраивает на определенный лад. И обязательно белый потолок — будет много света и воздуха.

— Гениально! — поддержал ее режиссер. — Я так и сделаю.

— За такие идеи платить надо, — подала голос Татьяна, тоже поднимаясь на сцену и начиная метаться по ней из стороны в сторону, как подстреленная куропатка. — Скрипят... скрипят доски. Зрители не услышат речь артиста... А мы до представления не запомним, где ходить нельзя.

— Укрепим сцену, хотя бы косметически, это можно успеть, — пообещал Вилли.

— Свет! Надо проверить свет! — продолжала волноваться Татьяна. И вдруг громко запела. — Потрясающая акустика! Сам театр прекрасен, хоть и требует ремонта. Здание просто кипит энергетикой и хорошей аурой. Я здесь точно сыграю свою лучшую роль!

— Давайте репетировать! — захлопал в ладоши Эдуард и подозвал ведущего актера Николая Еремеевича. — В чем дело? Что за унылый вид?

— Я готов, — голосом покойника ответил тот.

Хотя все знали, в чем дело, — он не мог долго обходиться без горячительного, а тут, на полном обеспечении Вилли, к тому же еще круглосуточно находясь под наблюдением коллег, не позволял себе пить. Вид у него был настолько убитый, что Груне стало даже жалко артиста. Она решила купить ему коньяка и даже сама налить в его фляжечку, которую тот всегда носил с собой вне зависимости от времени суток и степени ее наполненности. Художница мысленно поставила себе крестик, чтобы не забыть про это решение, и начала заниматься своим делом.

Пока актеры произносили фразы, разыгрывали монологи, пытались как-то найти себя на этой сцене, ходили по ней туда-сюда, приноравливаясь к размерам, чтобы, как говорится, свыкнуться, Аграфена ползала, стараясь действовать незаметно для них, позади сцены с рулеткой, вымеряя то, что ей придется декорировать. И пришла к выводу, что готовые декорации должны влезть, если их смонтировать под определенным углом. Она всегда делала мобильные декорации, экономя затраты театра. Их труппа хоть и не ездила на гастроли, но на новый спектакль можно было взять часть декораций от одного спектакля, часть от другого или просто перевернуть их и заново смонтировать. Выглядело все это абсолютно по-новому, и зрители не догадывались, что декорации старые.

Вилли и Эдуард Эрикович сидели в зале, смотрели на все это действо и что-то обсуждали между собой.

Зачем коту копыта?

Периодически горячий темперамент режиссера вспыхивал, как факел, и он взрывался:

— Да что ж вы делаете?! Ну куда ты пошла? Там темный угол, тебя никто не увидит и не услышит! Неужели сама не видишь? Чего ты прячешься по углам, выбрав такую профессию? Еще скажи, что ты боишься людей и боишься выступать на публике. Мне актеры-социофобы не нужны! Настя, у нас же в пьесе девятнадцатый век, что за походка? Ты не на панели! Нет, опять не то, какой-то показ мод... Ты по роли — наивная, целомудренная девушка. Где все это? Не смотри на меня так! Если ты сама не такая, то должна суметь сыграть, на то ты и актриса... Таня, прекрати корчить рожи, у нас не комедия и не цирк шапито. Невозможно же смотреть! Ой, извини, забыл... Николай Еремеевич, от вас-то не ожидал! Ну какой из вас герой-любовник, если вы на женщин даже не смотрите? Туалеты про геев его интересуют... Уволю всех к чертовой матери и наберу в труппу молодых и талантливых, без вредных привычек и наклонностей! Ощущение, будто на сцене не профессиональные актеры, а бродячие шаромыжники. Одеть вас всех в кота Базилио и лису Алису, в руки шарманку и — на дешевый рынок, честное слово... Не наступите на Груню, не видите, что ли? Она единственная из вас, кто профессионально работает... Николай Еремеевич, прекратите трястись, словно вас током все время бьет! О, господи... Зачем мы приехали позориться, да еще в другую страну? Что из этого получится? Позвал на свою голову Марк, царство ему небесное... Он был обо мне хорошего мнения, но знал бы, что за актеры у меня, в жизни бы не позвал! Понял бы, что кому-то в жизни много хуже, чем ему!

Конечно, Эдуард Эрикович подсказывал по существу и по своему режиссерскому видению ролей, спектакля, но в основном ругался, однако весь народ уже привык к его манере общаться. Да и понимал: все, что говорит Колобов, правда. Тем более что говорит он все это любя.

Вилли пребывал почти в шоковом состоянии от «великой русской игры», но держал себя очень отстраненно, словно происходящее его не касалось. В целом так, собственно, и было. Наверняка мужчина даже радовался, что сбагрил разваливающийся театр такой же странной труппе. Они, так сказать, нашли друг друга.

Через некоторое время приехал, как и обещал, комиссар полиции, забрал Аграфену, и оба удалились, мило беседуя на английском языке. Отправились искать катер преступников. Вилли хотел было увязаться с ними, но Груня твердо сказала, что справятся без него. Мол, он будет только мешать и отвлекать ее. Комиссар согласился с ней, что их-то двоих бандиты не знают в лицо, а вот Вилли может их спугнуть, поэтому тоже не пригласил друга в свою компанию.

Глава 12

Дебрен Листовец производил впечатление очень серьезного и ответственного человека. Он был собран, аккуратно одет и очень четко изъяснялся. Короче — этакий аккуратист во всем. Просто такой вот показательный полицейский на пять с плюсом. А каков он в работе, в смысле раскрываемости преступлений, Груше еще предстояло узнать.

В обществе комиссара Аграфене было не страшно, и они смело заходили в каждый проулок, ведущий к реке, и рассматривали катера. Все было не то.

— А вы здесь один? Других полицейских нет? — спросила у него спустя какое-то время Груня, на душе у которой сохранялось какое-то волнение и беспокойство. Спросила с большим подозрением, озираясь по сторонам.

— Один... Но ты не беспокойся, я смогу тебя защитить. Я вооружен и бываю очень опасен, особенно когда нападают на моих друзей.

— Прямо-таки опасен? — улыбнулась художница.

— Для бандитов — да. Но если честно, я не очень верю, что мы тут кого-то найдем. А если найдем, я вызову подмогу, здесь все рядом и все близко.

— Хорошо, договорились, — согласилась Груня, снова сворачивая к реке, в очередной проход к воде.

Они обошли весь остров, но катера, на котором киллеры везли на смерть оглушенного и связанного Вилли, так и не нашли. Осмотр закончили уже поздним вечером. Видно было, что и комиссар притомился, и костюмчик его пообтрепался. На лбу полицейского выступил пот, на лице поселилась усталость в сопровождении своего спутника — голода.

— Я верну тебя в театр, откуда и взял, — объявил Дебрен.

— Пойдемте со мной. Я думаю, нас там ждут широкое застолье и люди с не менее широкой душой, — предположила и предложила Аграфена.

— Вот как? Но ведь спектакль через пару дней только, мне Вилли сказал.

— Открытие сезона — раз, назначение нового директора — два, — загнула два пальца Аграфена и похолодела. — Ой...

— Что?

— Вы даже представить не можете, что вас там может ожидать! Двойной праздник! Да еще и репетиция тоже была первая... И у нас первая гастроль, и место такое красивое... И Вилли очень мягкотелый, ни в чем нам не отказывает, в смысле в еде и в напитках...

За много лет работы в театре Груня уже научилась понимать, когда актеры играют хорошо, а когда нет, хоть сама не была актрисой и режиссером. Сегодня, ей показалось, они играли средне. Не блестяще, но

и не плохо. Также это всегда можно было понять и по поведению Эдуарда Эриковича. Сегодня он ругался по-доброму, если так можно сказать. После переезда, сопровождавшегося обильным возлиянием, после перенесенного стресса от пребывания в полицейском участке и от известия о смерти Марка для первой репетиции в незнакомом месте все прошло «более-менее».

— Ты меня заинтриговала, — усмехнулся полицейский.

Уже при подходе к театру они услышали совсем не театральную музыку, а этакий дискотняк восьмидесятых...

— Ого! Началось! — Груня ускорила шаг, оборачиваясь к испуганному полицейскому. — Я же говорила!

Развернувшееся перед их глазами действо поразило бы даже бывалого зрителя. Членам труппы как-то удалось сдвинуть бархатные кресла вокруг импровизированного стола, представлявшего собой настил из досок, который ломился от закусок и бутылок со спиртным. Приличная гора пустой тары уже валялась в углу. Пьяные были все, причем совсем все и совсем пьяные. Слышались громогласные тосты, непристойные шутки и совершенно ненормальный смех. На сцене под орущую музыку народ тряс телесами. Танцем эти телодвижения можно было назвать с большой натяжкой, потому что у многих фигуры были уже не те, а координации в данный момент вообще не наблюдалось ни у кого.

— Господи... — выдохнула Груня, которая увидеть *такое* все же не ожидала.

— Дева Мария... — вторил ей Дебрен.

Каждый из них выразился, придерживаясь своей ветви христианства, но мысль у обоих была одна.

— Откуда они все это взяли — столько еды и выпивки? С ума сошли! Ведут себя так, словно приехали не работать, а отдыхать, причем сэкономив на аниматорах! — удивилась Аграфена.

— Мы слишком долго отсутствовали, — высказал свое мнение комиссар. — К тому же я видел, как подъехали осветитель и звукооператор...

— Они и привезли эту разудалую музыку, — поняла Груша, снова вздыхая.

В этот момент заиграла мелодия так называемого хита секс-бомб. Люди, в коих била ключом (или дремала и вдруг очнулась) сексуальная энергия, мгновенно отреагировали на песню — их начало буквально колбасить. Особенно отличилась Настенька, упавшая на сцену просто плашмя и принявшаяся творить такое, что не только детям до шестнадцати, но и «глубоко за тридцать» смотреть не стоило бы. Один шпагат сменялся другим, одно непристойное движение следовало за другим. А затем она встала под самый яркий софит и, сорвав с себя блузку и лифчик, продолжила кульбиты. Народ ахнул. Хорошо еще, что у мужской части пирующих инфаркта не случилось. Но потом все пришли в себя, сконцентрировали зрение, заулюлюкали, кинулись к сцене и стали ее поддерживать. А Настю и просить не надо было, и подбадривать тоже, она и сама была готова на все. Да и что уж там говорить, показать ей было чего.

И тут взгляд остолбеневшей Груни наткнулся на красивое лицо Вилли, на его горящие глаза, устрем-

ленные на прелести Насти, которыми та трясла просто в непосредственной близости от него. Что называется, и без очков увидишь все.

Кровь, а может, и еще что, ударила в голову Груни. А он все смотрел и смотрел, и зрелище ему явно нравилось. Сердце Аграфены готово было разорваться от, оказывается, доселе дремавшего в ней чувства ревности. Ее просто обуяли ярость и злость. «Проститутка! Что она себе позволяет? Как она смеет? Почему он смотрит? Тварь! Гадина!» — мысленно ругалась Груша. Ей захотелось обратиться к полицейскому с просьбой арестовать разошедшуюся девицу к чертовой матери за аморальное поведение, но, повернувшись к нему, Аграфена увидела и его такое же, как у Вилли, заинтересованное лицо.

— Жуткое безобразие! — выдавила она из себя дрогнувшим голосом.

— Да уж, — кивнул комиссар, не отрывая взгляда от сцены.

— Так сделайте что-нибудь! — выкрикнула Груня.

— Что я должен сделать?

— Арестуйте ее!

— За что? Ты еще скажи — надо дать ей три года за третий размер... — хохотнул комиссар.

— Да как вы смеете?! — взвизгнула художница противным голосом склочной женщины.

— А что, хороший третий размер, — задумчиво повторил полицейский. — Ты чего такая заведенная? Что тут такого? Люди выпили, красивая девушка танцует стриптиз, всем нравится.

— А мне нет! — заявила весьма истерично Аграфена.

— Ну, это твоя проблема, — повел плечом Дебрен.

Груша растерянно посмотрела на представителя власти. И с этим человеком она провела полдня! Оба улыбались, веселились, даже шутили и при этом были заняты важным делом. И вот тот же человек в данный момент даже не смотрел в ее сторону, раздражаясь на каждую ее фразу. И всему виной красивая голая баба...

Больше видеть все это Груня не могла. И, развернувшись на каблуках, вышла из театра. На улице свернула за угол и присела в беседке у воды. Ей хотелось плакать и тоскливо выть на луну. А еще она ненавидела себя — за то, что никогда не могла так вот, как Настя, раскрепоститься.

— Чего грустим, красавица? — Голос Татьяны Ветровой нельзя было спутать ни с чьим. Он у нее был задорно-профессиональный и почти громовой.

— Себя, дуру, жалею, — не поворачиваясь, ответила Груня.

— Не вынесла смертельно опасного зрелища — танцующей голой Насти? — усмехнулась Татьяна. — Я видела, какой фурор она произвела. А ей только того и надо.

Груша опустила голову.

— Ты не видела самого опасного зрелища — танцующую голую меня! — заявила ведущая актриса. — Я как раз переводила дух, когда вы зашли, и уступила эстафетную палочку молодежи. Да шучу я! Не смотри на меня так, а то еще тебя сейчас удар хватит.

— Если бы это была ты, мне было бы все равно, — буркнула художница.

Татьяна протиснулась в беседку и стукнула о столик бутылкой мартини и двумя стаканами.

— Выпьем чистого. Мы, русские люди, к коктейлям не приученные.

Груня даже сопротивляться не стала и сразу выпила приличную порцию.

— А меня зачем обижаешь? — продолжила тему Ветрова. — Думаешь, на меня он бы не пялился?

— Кто? — покраснела Груня.

— Известно кто. Дед Пихто! Чего убежала? Нет бы тебе самой вылететь на сцену и забить Настьку, перетрясти. Хотя тебе особо трясти нечем. Ой, извини! — Ведущая актриса залилась раскатистым смехом.

— Спасибо на добром слове! — Груня снова налила себе мартини.

— Да я просто развеселить тебя хочу. Что ты так серьезно все воспринимаешь? Ну, гуляют люди, как обычно, сама поводы знаешь. А мужики есть мужики.

— Животные, что ли? Чего ж он раньше-то на нее не смотрел? А стоило девахе одежонку скинуть, и все изменилось.

— Нет, а что такого произошло-то? — недоумевала Татьяна. — Ну, посмотрели, и что? Мужики все такие. Они разве жениться на ней побежали? Слушай, а я и не знала, что ты такая ревнивая...

— Я и сама не знала, — честно призналась Груня. — Я бы хотела найти такого, чтобы не смотрел.

— Ого! — округлила пьяные глаза Ветрова. — Импотента, что ли? Зачем он тебе? Тебе мужик нужен сексуальный и горячий.

— Тогда лучше быть одной. А то сейчас он смотрит, потом изменять будет.

— Никакой связи не вижу, — не согласилась Татьяна. — Но хотя бы одно мне стало понятно.

— Что именно?

— Почему ты одна до сих пор. Голову тебе надо лечить, голову. Воспринимай мужчин такими, какие они есть. Или ты думала, что где-то родился мальчик прямиком из женских романов, смотрящий только на одну женщину, любящий ее ни за что, просто так, и всю жизнь до гроба? И при этом он сразу сам богат, смел и красив от рождения, такой вот принц?

— Да, — оживилась Груня, которую уже повело от выпитого, — именно такого я и ищу всю жизнь, о таком и мечтаю...

— Э, милочка, такие рождаются только в воспаленном мозгу некоторых женщин, каждая из которых желает оправдать себя, неудачницу злобную, а в твоем случае, как оказалось, еще и ревнивую стерву. Мол, я одна, потому что такого не встретила. Пей, легче будет!

Груня подчинилась.

— Таня, дай денег взаймы, а? — вдруг попросила Аграфена. — Ты же меня знаешь, я отдам. Тем более что наследство нежданно-негаданно получила.

— А тебе зачем?

— Хочу снять номер где-нибудь.

— Прямо сейчас?!

— Так ночь скоро! Ты мне друг или кто? Я к нему в отель не вернусь. Да он и не вспомнит. Вилли сейчас с Настенькой рванет, я там только помехой буду. Она же на это решилась ради него. Думаешь, я не видела, перед кем Анастасия извивалась? Другие все ей уже известны и неинтересны. Она еще днем на меня смотрела таким взглядом, в котором просто читалось: «Ты не радуйся раньше времени, я ради него на все

пойду! Еще неизвестно, кому достанется!» Вот девушка и пустила в ход свою тяжелую артиллерию.

— Ой, ты правда ненормальная! — покачала головой Татьяна. — Поехали ко мне. Куда тебе идти в таком возбужденном состоянии? Там его не будет, это точно, меня Вилли домогаться не станет.

— Я в его отель не поеду! — почти по слогам, очень четко произнесла Груня. И вдруг расплакалась. — А то я в него влюблюсь и буду страдать.

Татьяна прижала ее к себе.

— Дурёха ты моя, дурёха... По-моему, ты уже...

— Что уже? — шмыгнула носом Груня.

— А то — по уши!

Они выпили снова. И еще. Потом Таня пошарила по карманам.

— У меня с собой сто двадцать евро. В номере еще есть. Значит, не пойдешь ко мне? Ну да, ты же упрямая, как ослица. Вот выдался шанс, так нет, помешали сиськи Настеньки...

— Таня, не говори пошлости, не люблю, когда ты такая. Думаю, этого хватит, у меня тоже около ста. Спасибо. Я вас не подведу, не бойся. Я встречу декорации, все проверю, все установлю. На все спектакли. А вообще-то с удовольствием улетела бы прямо сейчас, — призналась Груша.

— Просто удивительно! Ты ведешь себя, как жена, заставшая своего мужа с любовницей. И то многие жены закрывают глаза на подобные вещи. Он же тебе еще никто и ничем не обязан, ты своим поведением отпугнешь человека. Так же нельзя! Легкое дело — завлечь мужика голым телом. А вот в одежде его заинтересовала именно ты.

Татьяна Луганцева

— Я так боюсь, Таня, ошибиться! Я не вынесу больше боли ни граммулечки! — пожаловалась Аграфена.

— Бедная ты моя девочка... Я не дам тебя в обиду... — обняла ее Таня.

И вдруг они услышали:

— Груня! Груня! Ты где? Здесь кто есть? Груня?

Это был голос Вилли, и обе сразу его узнали.

— Ну вот, а ты говоришь... — довольно протянула Татьяна. — На сиськи посмотрел, возбудился, а ищет-то тебя.

— Ложись! — прикрыла ей рот ладонью Груня и сама легла.

Таня подчинилась, но уставилась на нее с недоумением.

— С ума сошла? Давай иди к нему!

— Тише! — прошипела Аграфена.

— Груня! — Голос Вилли отдалился от них.

— Не хочу его видеть и говорить с ним, а то наделаю глупостей. Я — гордая! — завелась Аграфена.

— Ты не понимаешь? Он же тебя, дуру, ищет! Ему, видимо, сказали, что видели, как ты пришла и ушла. — Татьяна даже под столом умудрялась прикладываться к бутылке мартини. — Он ведь выпил и возбужден, не ты, так эта сучка его подцепит. Понимать надо! Получается, ты его сама, своими руками отдаешь. Зачем? Немедленно беги за ним! Послушай опытную женщину!

— Ну и пусть! — надулась Груня.

— Ой, не могу! Бабе скоро сорок, а такая дура. Да за такого мужчину, как Вилли, можно и побороться! Ты же умная и красивая, а Настька — шалава. Но ты сейчас не права. Ведь может случиться то, что потом не изменишь.

Зачем коту копыта?

— Чему быть, того не миновать. — Лежа на полу беседки, Аграфена тоже выпила мартини из горлышка и подмигнула Татьяне.

— Странная ты... Да ладно, свою голову другому человеку не приставишь... — Татьяна с трудом поднялась на ноги. — Ох, старость не радость! Пойду оттаскивать старого дурака Эдика от этой проститутки, раз твой сам ушел. А ты возьми мартини. Если захочешь — допьешь. Потом подумаешь и, может, до чего умного додумаешься.

Шаги Татьяны прошуршали по плохо почищенной дорожке, и ее грузная фигура скрылась за углом театра.

Сильного доверия к Татьяне, что та не проболтается Вилли, где оставила Груню, обуреваемую ревностью, художница не испытывала, поэтому взяла бутылку с недопитым мартини, уничтожая следы своего присутствия здесь, и побежала прочь. По дороге ее замутило, пришлось юркнуть в кусты. Наконец она отдышалась и отругала себя: «Сама виновата! Пить не пью и не умею, а туда же! В нашей труппе есть настоящие зубры пития. Что называется, бутылку водки выпиваю, бутылкой водки запиваю... Мне никогда так не суметь, если только не захочу жизнь самоубийством покончить».

Аграфена отошла от театра и свернула на узенькую улочку, чтобы ее не было видно, если вдруг Вилли выйдет на главную аллею в поисках ее.

Глава 13

Груня быстро бежала по улочке, поминутно озираясь и размазывая слезы по щекам. Наконец заметила небольшую вывеску на небольшом же отеле — в два этажа и шириной в шесть окон по фасаду — и вошла внутрь. В холле было темно, душно и неуютно. Впервые в жизни она увидела допотопный медный звонок на стойке портье, как в кино. Видимо, он был главным украшением холла гостинички. Находясь в заведенном состоянии после стриптиза Насти, Аграфена с силой стукнула по кнопке и аж пригнулась от громкого звука. На ее зов через некоторое время появился неопрятного вида мужичок с заспанным лицом. Этакий типичный сельский житель в понимании Груши.

Она заговорила на английском, но по выражению лица портье сразу же поняла, что тот явно не полиглот. И дальше общение пошло в основном на языке глухонемых, то есть с подключением мимики и жестикуляции. Наконец Аграфена сообразила, что в отеле есть пара свободных номеров, но без питания.

За двадцать евро в сутки. Она положила на стол сто евро, пояснив: «На все». И ей был вручен ключ с деревянным набалдашником, на котором значилась цифра «три». Документов от нее не потребовали, договор не составлялся, а сто евро исчезли в кармане штанов мужичка.

Номер оказался немногим лучше холла. Небольшая комнатка с маленьким окошком, прикрытым покосившимися жалюзи, с односпальной кроватью, застеленной чистым, но застиранным покрывалом, шкафом и столом с двумя стульями. «Без излишеств», — хмыкнула про себя Груня и заглянула в санузел. Там в мизерное пространство были воткнуты унитаз и допотопная душевая кабина, дверца которой открывалась с трудом.

Аграфена сильно проголодалась, но мысли о еде из головы прогнала. Приняла душ и легла в неприветливую постель, закрыв глаза и пытаясь правильно дышать, чтобы успокоиться и прийти в себя.

«Надо поспать и выкинуть Вилли из головы. Не было у меня мужчины — и не надо! Спокойнее будет. И почему я в последнее время постоянно ощущаю чувство голода? Это ненормально!» — говорила она себе, чувствуя озноб.

Сон не шел, а Груне становилось все хуже и хуже. Ее всю буквально трясло, появились непонятные боли в животе, к которым присоединилась тошнота. «Отравилась, что ли, чем-то? — подумала она. — Так вроде не ела ничего. Заболела? Чем? Это бог меня наказал за Вилли. Чего я на него окрысилась? Не он же просил Настю раздеваться. А если та сама разделась, отчего ж не посмотреть? А мне просто от ревности крышу сорвало... Ого, как я заговорила! А все с того, что, кажется, умру сейчас, а нахожусь здесь одна. Как же мне плохо! Просто отвратительно. Еще и голова заболела...»

Несколько раз она вставала, чтобы сходить в туалет. Казалось, что ее сейчас вывернет просто наизнанку.

«Что же делать? Может, «Скорую» вызвать? Хотя нет, какая «Скорая». Упекут на месяц в какой-нибудь изолятор, а мне людей подвести нельзя. Сегодня же декорации привезти должны были. А я со своим психозом все испортила. Надо было больше о работе думать, а не о Вилли с Настей. В общем, я повела себя, как истеричка, вот результат. Ой, как кружится голова!»

Аграфена подставила голову под струю холодной воды, чтобы хоть немного прийти в себя. Боль не отпускала.

Груня с трудом оделась и покинула номер. Естественно, в холле она увидела только медный колокольчик на стойке портье, ей пришлось самой отодвинуть задвижку на двери. Художница вышла на улицу, вдыхая свежий аромат ночи и не заботясь о том, что отель остался незапертым, и нетвердой походкой двинулась по узкому проулку. Воздух подействовал лучше, чем холодная вода, она хоть перестала чувствовать себя трупом. Во всяком случае, была способна дышать.

«Дышу — значит, живу, — произнесла Груша про себя, покачиваясь и подавляя тошноту. — Права была Таня, я — форменная дура. Интересно, я найду кого-нибудь в театре? Народ мог напиться и остаться там. Или все-таки добрался до своих уютных постелей в люкс-отеле Вилли? Только я одна, идиотка, опять без жилья! Вот уж права пословица: «Дурная голова ногам покоя не дает!»

Внезапно ее мозг, а вернее — сердце пронзила жуткая мысль. «А вдруг в это самое время, когда я шатаюсь ночью в полном одиночестве и с таким самочувствием, Вилли развлекается на своей широкой кровати с Настей? Нет, я даже думать об этом не могу! А что? Он сделал слабую попытку найти меня, не нашел, и тут его отвлекла на себя Анастасия. Татьяна права и в том, что я ни минуты не боролась за свои чувства, которых ждала столько лет. Я во всем виновата. И теперь уже ничего не исправишь».

У нее сильно кружилась голова, поэтому шла она, сильно пошатываясь, боясь упасть на каждом углу. И, наверное, со стороны выглядела пьяной женщиной.

Выйдя к театру (причем преодолев, несомненно, более длинный путь, чем когда убегала от него, хотя, возможно, ей так только показалось), Груня с разочарованием увидела, что там везде темно.

«Значит, все ушли. Бросили меня. Хотя что значит — бросили? Я сама от них откололась, они и не знают, где я. Ой, что-то мне совсем нехорошо. Не дойти мне не то чтоб до берега и отеля Вилли, но и к своей халупе не вернуться. Надо где-то передохнуть...» Аграфена, держась за стену театра, двинулась вокруг здания в поисках места, где можно присесть. Пусть будет ступенечка... бревнышко...

Территория совсем не освещалась, хотя фонари присутствовали. Значит, их просто не включили. Не могли ведь все разом перегореть?

Она полностью обошла театр, так и не найдя где притулиться. Впереди сквозь кусты и деревья блеснула вода, а рядом стоял старый, покосившийся сарай. Груня побрела туда, тем более что от воды исходила приятная прохлада, немного освежавшая ее усталую и больную голову. Дверь в сарай оказалась открытой, и Груня обрадовалась, что сможет спрятаться хоть под какую-то крышу. Художница вошла внутрь и осмотрелась. Сарай был большой, а огромные ящики и коробки, сваленные сбоку, показались ей знакомыми. Сфокусировав взгляд, она поняла, что это их декорации, которые доставили, но еще не разбирали. Один ящик был вроде влажным, и Груша решила проверить, не пострадали ли сами декорации. Осмотрелась в поисках инструментов, но нашла только ржавый гвоздь и молоток. И тут до нее донеслись чьи-то голоса. Совершенно не думая, что делает и зачем, Груня непроизвольно спряталась за коробки. Вдруг это Вилли, которого она не хотела видеть? А вдруг сторож, который наверняка спросил бы ее, кто она такая и что тут делает? Ответа на этот вопрос у нее не было.

В помещение кто-то вошел тяжелыми шагами, и явно не один человек. При этом раздавался еще один странный звук — волочения.

— Давай его сюда, — произнес на английском один из незнакомцев.

— Тяжелый, гад! — отозвался второй.

— Надеюсь, на этот раз мы его грохнем. Вот ведь живучий! Мы его убили, закопали, деньги получили, и на тебе, какая-то девка его отрыла. Как она туда попала? Почему мы не заметили, что кто-то наблюдает за нами? Ну, просто зараза!

Аграфена подавила очередной приступ тошноты и попыталась собраться с мыслями. Но мысли не собирались, а наоборот, разбегались, как тараканы, в разные стороны от охватившего ее ужаса. Она присела на корточки, чуть не потеряв сознание от головокружения и слабости, проползла пару метров и выглянула из укрытия. То, что она увидела, не могло не поразить ее. Двое тех самых мужчин, которых она никогда не видела, а только слышала, сдернули с чего-то громоздкого укрывающий тент, а там оказался катер, который она полдня искала с комиссаром полиции. Искала возле причалов, а тот все это время стоял в ангаре театра. Просто вот рядом, под носом у приехавшего на актерский сабантуйчик стража порядка, который вместо того, чтобы все здесь осмотреть, увлекся лицезрением голой старлетки. Зла на него не хватало!

Груня не верила своим глазам. Мысли метались в голове как сумасшедшие. «Не может быть! Только не сейчас! Почему опять я? И одна, без полицейского! Я, наверное, брежу или сплю... Но нет, все происходит наяву и со мной. Как же мне выйти и из этой ситуации по возможности живой и желательно здоровой?»

Тем временем один из мужчин затащил в катер то, что приволок с напарником — опять какое-то тело! — и заявил:

— Теперь мы должны все сделать точно!

— Я тебе и прошлый раз предлагал утопить его. Тогда и концы в воду. А ты — зароем в лесу, там не найдут... Мало того, что нашли, так еще и живого!

«Неужели они опять захватили Вилли? — липкой лентой к мозгу Груни прилипла жуткая мысль. — Нет, не может быть! В конце концов, сегодня не день сурка! Но мои глаза не лгут, они грузят бездыханное тело Вилли на катер. Что же делать? Ведь сейчас они отплывут... Надо немедленно позвонить Дебрену! Ага, как и чем? Но я не могу снова поехать с ними, я всего лишь слабая женщина!»

— Предлагаю пришить его здесь, — продолжился тем временем разговор наемных убийц. — И уже со стопроцентной гарантией кинуть в реку.

И тут тело, то есть Вилли, слабо зашевелилось, и жертва стала издавать звуки, похожие на стоны и писки.

— Как же я не люблю эту работу! Нервы уже не те... — сказал один из преступников.

— А я не люблю непрофессионализм в работе, тем более в нашей. Ведь речь идет и о наших шкурах! Один раз мы уже лопухнулись — взяли деньги, причем немалые, и провалились! Повтора быть не должно! Иначе у нас не просто отнимут денежки, но и самих уберут.

Говоривший наклонился над связанным телом и замер, то есть буквально окаменел. Груня за это время успела несколько раз поморгать ресницами и два раза вздохнуть, унимая рвотный рефлекс. И тут мужчина взорвался:

— Ты кого притащил, идиот?!

— Что значит — кого? Кого заказали — директора гостиницы, — ответил напарник. И уже не так уверенно добавил: — Того, которого и первый раз заказывали.

— Мужик-то другой! Ты что творишь? Второй прокол! Это немыслимо!

— Как другой?! Да нет же, он!

— Присмотрись, кретин! — Мужчина перешел было на неизвестный Груне язык, но потом спохватился: — И что теперь делать?

Зачем коту копыта?

Подельник, совершивший эту ошибку, на некоторое время выпал в аут, то есть растерялся. Потом принялся оправдываться:

— Дева Мария... Там темно было совсем. И все пьяные, как свиньи, лежали. Один он стоял, курил, с кем-то по телефону говорил по-венгерски. Ну, а я же знаю, что все приезжие — русские, венгерского не знают. Высокий, брюнет, я и решил, что это Вилли...

— Олух! Очки себе купи, прежде чем на такое задание идти! Мозгов совсем нет! — Преступник наклонился над телом, пошарил по его карманам, достал какую-то книжицу и вдруг взревел: — Твою мать!

— Что? Местный кто-то? — еще больше занервничал проштрафившийся.

— Гарольд, ты конченый психопат! Это же комиссар местного отделения полиции!

— Нет!

— Да, дурака кусок! И что теперь делать?!

— Давай выпустим его, — не очень уверенно предложил преступник, так сильно опростоволосившийся.

— С ума сошел?! Он же нас видит и слышит! Нас сразу же найдут и арестуют! Его нельзя оставлять в живых!

— Ты предлагаешь убить комиссара?! Да это ты с ума сошел! Только не полицейского! На наши поиски поднимется вся полиция, и нам точно не уйти, расстреляют на месте!

— Это ты виноват, идиот! Короче, так. Отпустить его мы не можем. Остается убрать. И утопить тело, чтобы его не нашли. Или не сразу нашли, чтобы у нас было время унести ноги за границу.

— Вообще-то ты прав, — сдался напарник.

— Но! Вина твоя, значит, тебе его и убивать.

— Это же «вышка». Он ведь не просто полицейский, а — комиссар... — обреченно пробормотал второй киллер. Однако тут же добавил: — Хорошо, я все сделаю.

— А я не хочу даже присутствовать.

— Напарник, называется...

— Извини, тут уж каждый за себя. Косяк-то твой! Значит, так. Я сейчас уйду на десять минут, а когда вернусь — чтобы все было закончено, — сказал, как отрезал, преступник и вышел.

Аграфена стиснула себе виски. То, что она понимала, ввергало ее в шок. А ясно ей было одно: надо спасать комиссара, причем в короткие десять минут, пока отсутствует второй преступник. Иного варианта у нее не было, потому что этот остался здесь, чтобы убить. А ей как-то не хотелось стать свидетелем убийства и ничем при этом не помочь жертве.

Мужчина между тем подтащил Дебрена к ящикам, за которыми пряталась художница, прислонил к ним и проговорил:

— Ну, извини, друг, перепутал я. А в тюрьму что-то совсем не хочется. Сейчас я тебя ножичком по горлу, и все. Долго мучиться не будешь, обещаю. Не наш ты заказ. Прости, так вышло...

Груня, сама не понимая, что делает, выползла из-за коробки и встала на ноги. Она возвышалась над связанным полицейским с перепуганными насмерть глазами и склонившимся над ним преступником. В руке последнего блеснуло стальное лезвие.

И в то же мгновение Аграфена что есть силы стукнула убийцу молотком по голове, всем телом ощущая

передавшуюся ей энергию дзен из его расколовшегося черепа. Наверное, по фэн-шуй это было не очень хорошо. Молоток выпал у нее из рук, так же как и нож из рук киллера. А потом тот рухнул сам.

— Извините, — прошептала она и скрылась за коробками, чтобы в очередной раз очистить желудок.

Комиссар усиленно что-то мычал. Груня отдышалась — хоть какой-то свет вернулся ей в глаза — и вернулась. На поверженного преступника художница старалась не смотреть, но ощущала его присутствие каждой клеткой своего дрожащего тела. Аграфена прямиком подошла к комиссару, взяла валявшийся нож и трясущимися руками принялась резать веревки, стягивающие тело Дебрена. А тот все мычал, периодически срываясь чуть ли не на визг, когда она задевала кожу.

— Да тише вы! — с неприязнью посмотрела на него Груша. — Сейчас второй вернется, а у меня второго молотка нет. Ножом, вот ей-богу, никого резать не буду, не мое это совсем...

Нанеся телу Дебрена небольшие повреждения, художница освободила его от веревок, затем с деловым видом посмотрела на часы.

— Уходить надо!

Комиссар наконец-то смог снять скотч со своего рта и шумно вдохнул.

— Ну ты даешь! С ума сойти... Я уже попрощался с жизнью, и тут ты с молотком. Р-раз... Просто и красиво. Один раз всего. Бах — и занавес.

— А надо было несколько? — забеспокоилась Аграфена, скашивая глаза на бездыханное тело киллера. — Мне показалось, что у него голова треснула. Если что, ты сам давай...

— Нет-нет, думаю, достаточно... Помоги мне встать. Вот ведь отморозки! Ну ничего, сейчас я их...

— Дебрен, это тот самый катер.

— Я уже понял. Ишь, перепутали они... — Комиссар шарил по карманам, словно ища что-то.

— Опаньки! Чего ищем? — раздался вдруг гневный голос.

Дебрен с Аграфеной вздрогнули. В проеме двери стоял второй мужчина, высокий и какой-то лохматый.

— Вы чего сделали с ним? — покосился он на лежащего совершенно без движения напарника.

— Убили! — с вызовом в голосе ответила Груня, которая чувствовала себя так плохо, что ей было даже все равно, какие действия предпримет и что сейчас с ними сделает второй киллер.

— А ты кто? — со злостью спросил мужчина.

— Вы арестованы! — вдруг выдал Дебрен, еле стоящий на ногах.

— Как бы не так! — кинулся на комиссара бандит, совсем не беря в расчет хлипкую Груню.

Естественно, что он сразу же свалил его с ног, так как конечности полицейского еще не отошли после тугого стягивания веревкой. Мужчины покатились по захламленному полу сарая. Аграфена не отставала от них, заодно попыталась найти молоток. Но не нашла и стиснула в пальцах большой ржавый гвоздь — единственное, что попалось на глаза.

«Неужели мне придется и второго человека убить? — вдруг подумала она и сунула в руку Дебрена свое оружие, которое полицейский, не задумываясь, и вогнал в тело противника. Тот хрюкнул, крякнул и отвалился от уже задыхавшегося комиссара.

— Господи, когда же это закончится? — выдохнул Дебрен, вытирая о себя руки. — Ты Груня, просто маньячка какой-то!

— Я маньячка?! Это же вы воткнули гвоздь в мужика, словно шампур в шашлык!

— Но ты одного типа вырубила молотком, а потом мне дала железяку. Что про меня подумают коллеги? Что я убиваю преступников ржавым гвоздем с подачи русской художницы?

— А что, я должна была кисточку для росписи фрески вам подать? Гнусная парочка была не просто преступниками, а убийцами! И они убили бы вас! Вы еще их пожалейте и сделайте этому вот прививку от столбняка. Гвоздь-то ведь был грязным и ржавым! — обиделась Аграфена.

— Да я шучу! Если бы не ты... Ох, страшно подумать... Спасибо тебе! Никогда еще лезвие ножа не было так близко от моей шеи.

— Лучше и не думать. Пойдемте отсюда скорее, надо помощь вызвать.

— Ноги-руки не слушаются, — доверительно сообщил полицейский.

— Надеюсь, их было двое? Третьего нет поблизости? — поежилась Груня, чувствуя, как ее спина покрывается липким потом, а в глазах снова темнеет.

— Я сначала поищу в их карманах свое оружие. Они ведь разоружили меня, подло напав со спины. Эй... Груня! Груня! Посмотри на меня! Не делай так! Ты почему глаза закатываешь? Что с тобой?

Это были последние слова, что Аграфена услышала, прежде чем отключиться окончательно.

Глава 19

«Как красиво поют птички... Настоящие трели выдают, и словно дуют в трубочку, и стучат молоточком по наковаленке, и ударяют трещеточками, и звенят колокольчиками... Ой, о чем я говорю? Это же не птички поют, а у меня в голове звенит... Просто ужас какой-то!» — думала Груня, постепенно возвращаясь в свое сознание. Она медленно открыла глаза и уставилась на лицо Татьяны Ветровой, по-прежнему кривое, перекошенное. Но вдобавок у актрисы на носу висела какая-то полупрозрачная трубочка.

— Таня... что это у тебя?

— Где? — с трепетом приблизилась к ней Татьяна.

— На носу... трубочка... Зачем?

— Трубочка? Какая трубочка? А, вон ты о чем... Не трубочка, а капельница, и у тебя, и у меня, — охотно пояснила Татьяна. — Господи, слава тебе! Сказали, если ты проснешься, то все будет хорошо. Пойдешь на поправку, так сказать...

Зачем коту копыта?

Груня приподняла голову. Она лежала голая под простыней, и к каждой руке тянулись капельницы.

— Где я? Что со мной?

— Мы в больнице, в реанимационном отделении. Но ты не переживай, мы с тобой здесь вдвоем, — успокоила ее Таня.

Аграфена с удивлением посмотрела на нее и увидела, что Таня одета в халат в полоску, явно больничный. И к ее руке тоже была прикреплена капельница, только на колесиках, то есть передвижная.

— Реанимация? Но что случилось? Почему ты тут? — удивилась художница, словно ее совсем не удивило, что и она сама здесь находится.

— Ты ничего не помнишь? Хотя откуда! Целые сутки в бреду! — махнула рукой актриса.

— Сутки? Таня, объясни мне!

— Я уже говорила и с полицейским, и с врачом. Мартини, что мы пили, оказался отравленным каким-то ядом, его название мне никогда не повторить даже под пытками.

— В каком смысле отравленным? — еще плохо соображала Аграфена.

— В самом прямом.

— А кто это сделал?

— Не знаю! Тот же вопрос и меня, а больше всего полицию интересует. Думают, что отравить хотели меня, потому что я ходила с откупоренной бутылкой, и любой, кто задумал недоброе, мог кинуть в нее одну маленькую таблеточку. А о том, что я буду поить мартини тебя, никто не знал. Тебе стало плохо, и мне тоже... Я провалялась без сознания несколько меньше, мой организм оказался более крепким к яду. Да и к спиртному тоже! — подмигнула Татьяна. — Но нас хорошо промыли, теперь с нами все будет хорошо! — Груня натянула повыше простыню, а Ветрова продолжила: — Надо же, ты в таком паршивом состоянии вернулась в театр ночью и спасла Дебрена... Удивительно! Он нам все рассказал. Кстати, тебя чем-то наградят за спасение жизни офицера такого ранга. Будешь национальным венгерским героем. Или надо сказать — национальной героиней? В общем, поздравляю.

— Спасибо. Значит, с комиссаром все в порядке? Я рада...

— Он, как конь. А что ему сделается? Он тебя и спас — быстро вынес тебя на свежий воздух и вызвал медиков.

— Потом поблагодарю его, — слабо улыбнулась Аграфена.

— Вы квиты.

— Бандиты уже сказали, почему они хотели убить Вилли? И самое главное, кто им заказал его убийство? — спросила Груша.

Таня отвела глаза.

— Что такое? — напряглась художница.

— Никто ничего не скажет. Того, которого закололи гвоздем, не спасли, он умер от внутреннего кровотечения.

— А которого молотком? — вздрогнула Груня, потому что ее интересовало, убила она или нет. В тот момент рассчитывать силу удара никак не представлялось возможным, и на сердце у нее было неспокойно.

— А тот клоун потерял рассудок, — усмехнулась Татьяна.

— Что значит потерял?

— То и значит. Сидит дурачком и улыбается, вот и все. Теперь в психушке для преступников будет находиться. Толку от него совсем нет.

— Ладно хоть живой, — вздохнула Груша.

— Ты его видела? Да лучше умереть! Но ты молодец. Когда тебе станет чуть полегче, обязательно расскажешь, как умудрилась с помощью молотка и гвоздя уложить всю банду. Тут уже ходят слухи и легенды, которыми теперь из поколения в поколение станут пугать венгерских детишек. Мол, если не будешь слушаться, приедет одна тетя из России с труппой кровожадных артистов, и откроют они на тебя охоту с помощью подручных средств! — Татьяна сделала страшные глаза, и Груня с укоризной посмотрела на нее.

— Ну да, я не успела сбегать в оружейный магазин и подобрать что-то более приличное. К тому же в такой экстренной ситуации совсем некогда думать.

— Извини, не хотела обидеть. За нас, а особенно за тебя, все очень переживали. Правда, Эдуард Эрикович с долей черного юмора. Он хочет поставить пьесу ужасов по мотивам «Техасской резни бензопилой» с тобой в главной роли. Тебе даже играть не придется, и так весь ужас в твоем милом личике, под которым такая личина.

— Ага, а называться пьеса будет «Будапештская бойня молотком». — Груня зевнула. — Что-то меня в сон клонит...

— Мы обессилели сильно. Вся кровь отравлена была. Яд смертельный, еще немного — и мы бы погибли.

Груня напрягла воспаленный мозг.

— Меня очень сильно рвало, если бы не это, мне точно бы конец. Я ушла из беседки, захватив бутылку, нашла небольшой и совсем неуютный отель... Сейчас пытаюсь вспомнить, куда дела бутылку. Я точно больше не пила.

— Грушечка, откуда, ты думаешь, я знаю, что отрава была именно в мартини? Ее нашли, и отель, где ты остановилась, тоже нашли... — Ветрова отвела глаза.

— Какая оперативность. Как же узнали, где я остановилась? — удивилась Аграфена.

— Ты стала хуже соображать, — констатировала Татьяна. — Ну как бы еще мы тебя нашли и бутылку? Жильцы увидели мертвого портье, а рядом пустую тару и поняли, что мужчина отравился. Потом уже связали его смерть с нашим с тобой случаем. А когда я пришла в себя, то подтвердила...

— Портье мертв? — оторопела Груня. — Точно! Мне было так плохо, что я, когда оформлялась, поставила на стойку бутылку. И забыла про нее. А мужик уже был выпивши. Видимо, обрадовался новой дозе и мне не отдал.

— И хорошо, что не отдал.

— Человек погиб из-за меня! — ахнула Аграфена. — Если бы я туда не пришла в своем психозе, он остался бы жив! Ты правильно говорила — мне надо было взять себя в руки и выдохнуть два раза, сосчитав до десяти, а не комплексовать. Вот, наломала дров... Господи, да я действительно прирожденный маньяк! Любыми средствами вывожу людей из строя!

— Ты не виновата. И хватит думать только о себе, — обиделась Татьяна. — Между прочим, меня хотели отравить! Вилли два раза собирались убить...

Груша, растерявшись, посмотрела на актрису.

— И верно. Ну просто ужас какой-то! И не у кого спросить объяснений. А кто и живой, так говорить не может. Таня, а тебя-то кто намеревался отравить? — удивленно спросила Аграфена, натягивая на себя белую хлопковую рубаху.

— Вот видишь, ты спрашиваешь, кто мог. А идиот Эдик сразу же сказал полицейскому, что любой из труппы мог бы. Мол, и характер у меня не тот, а язык еще хуже. В общем, опозорил меня просто перед представителем другого государства. — Татьяна надулась, и лицо у нее перекосилось еще больше.

— Я смотрю, не отпускает тебя твой ботокс, — задумалась Груня.

— Нет, конечно. Полгода ждать. Я даже думаю: вдруг мышцы привыкнут и я навсегда такая останусь?

— Все пройдет, не волнуйся, — успокоила ее, как умела, Груша и снова задумалась о своем. — Слушай, теперь, выходит, и есть страшно. Если один раз пытались отравить, так и второй могут? Или при каждом недомогании сразу же бежать на промывание желудка? И ведь мартини-то ты открыла прямо в театре.

— Хочешь сказать, что это дело рук кого-то из своих? — понизила Таня голос до шепота.

— Чужих там, кроме комиссара, не было. Неужели он стал бы тебе яд сыпать?

— Ты права. — Ветрова тоже задумалась. А через минуту резко хлопнула себя по коленке, всколыхнув жидкость в капельнице подозрительными пузырьками. — Так я тогда знаю, кто мог это сделать! Все же очевидно!

— Кто? — спросила Груня, для которой, видимо, ответ был не столь очевиден.

161

— Настенька наша, ясное солнышко, змея подколодная! У тебя мужика увела, моего старого идиота добивается, метя в примы. Она и хотела меня травануть, чего тут долго думать. Мотив только у нее, несмотря на мой весь «жуткий и страшный» характер, все же понятно. Когда мы с тобой в больницу загремели в бездыханном состоянии, она, наверное, была счастлива, что, сама того не желая, убила сразу двух зайцев — меня, освобождая себе сцену, а заодно тебя, расчищая дорогу к Вилли.

Груня дернула головой. Как бы она ни относилась к людям, но хоть на кого-нибудь подумать, что он способен убить другого человека, у нее не получалось. Кроме того, ее заинтересовала одна фраза, вылетевшая из рта подруги по несчастью.

— Таня, а что значит — она у меня мужика увела?

— Ой, я как-то не подумавши брякнула... Ну, сама же знаешь, что за язык у меня... — стушевалась актриса.

— А если честно? Я теперь не отстану.

— Вот только не угрожай! В свете последних событий в твоих устах это звучит особенно зловеще. Сейчас я засну, а ты наплюешь мне в капельницу отравленной слюны, и все. Чем не еще один извращенный способ убийства? Ладно, я расскажу, только сначала ты побольше в себя приди, оклемайся немного. А там уж и новый удар будешь держать. Закаливайся в бою постепенно.

— Таня! — строгим голосом прервала ее треп Груня.

— Ну что Таня, что Таня? И не говори, что я тебя не предупреждала! Очень даже предупреждала, всеми вразумительными способами. А ты что? Надо же выдумать такое — приревновать мужика к стрип-

тизерше, убежать, не окликаться, когда тот ее звал...
И что ты теперь хочешь?!

— Мне теперь что, — побледнела Аграфена, — некуда идти? Они... вместе?

— Идти ты можешь ко мне в номер, я уже говорила. Эгоизм я свой уже проглотила. А они... Да какое там вместе! Переспали один раз, и теперь он от нее шарахается. Выглядит очень потерянным. Явно мужик переживает, что сделал не то, не в том месте, не в то время, и что самое главное, не с той женщиной. Зато Настя ходит гоголицей... ну, ты поняла... и всем рассказывает о незабываемой ночи любви. А ты чего так побледнела-то? — обеспокоенно спросила Татьяна.

— Я в порядке.

— В общем, глупо как-то все получилось: пока ты спасала Дебрена и умирала, он кувыркался с этой шалавой. Но ты это близко к сердцу-то не бери!

— Не беру... — как эхо откликнулась Груня, ощущая даже, как капли лекарства капают в капельницу и в ее вену, настолько сильно обострились все чувства.

— А кстати! Настька еще говорит, что жизнь ему спасла — вовремя увела из театра, где на него, оказывается, охотились. Эй, возвращайся к жизни! Я предупреждала! Я даже больше скажу...

— Что, ну вот что тут теперь скажешь?

— Что лучше бы этого ирода с красивыми глазами насовсем стерло с лица земли. Гад! Бабник! Все мужики — козлы! Плюнь ты на него!

— Плюнь... — снова эхом повторила Груша и почему-то высморкалась.

— Вот и правильно, вот и молодец. Вот просто выкинь его из головы, — подбодрила ее актриса.

— Ты, Таня, прямо как хамелеон. Сама же недавно меня на него настраивала! Мол, лучше Вилли и нет никого. Говорила: такая партия... один шанс из тысячи... наконец-таки ты узнаешь, что такое настоящая любовь... А теперь — козел и бабник!

— Я и сейчас такого же положительного мнения о Вилли, но ты его не потянешь. Он вынет из тебя душу, деточка. Ты уж очень болезненно на него реагируешь. За такого мужчину надо бороться, надо соответствовать ему, а не комплексовать. Точно, не по-тя-нешь! Да и зачем? Его убить кто-то хочет. Вдруг все-таки добьется своего? Вот пусть Настенька вдовой и поплачет, — совершенно спокойно сказала Татьяна, закидывая ногу на ногу и начиная отбивать чечетку задником больничного тапка по своей пятке.

— Типун тебе на язык! — встрепенулась Аграфена, вспомнив про покушения.

Разговор прервался — в палату зашла медсестра и сообщила, что сейчас их осмотрят лечащий врач и главврач больницы. А еще к ним рвутся посетители.

— Врач пусть приходит, начальник больницы тоже, а вот посетителей не надо! — сразу же заявила художница. — Иначе мне будет совсем плохо!

— Но люди волновались, ждали... Они очень хотят лично убедиться, что с вами все хорошо, — растерялась медсестра.

— В больнице в первую очередь уважаются права пациента, а пациент не готов к встречам и объяснениям в любви! — сказала, как отрезала, Груня.

Но надо было знать русскую артистическую труппу — коллеги просто снесли с ног слабо сопротивляющуюся медсестру и ворвались в палату к своим

«девочкам». Грушу тут же просто парализовало — с ними был Вилли, но она старалась не смотреть на него вообще. Гости наперебой кинулись к болеющим с расспросами об их самочувствии, здоровье и о том, «как Таня с Грушей дошли до жизни такой». Настя с ними не пришла, что и понятно: самочувствие двух соперниц вряд ли интересовало циничную и корыстную особу.

Вилли прорывался к Аграфене с дежурными вопросами, и та ему так же дежурно отвечала, не глядя в глаза, и сразу же с жаром и пылом переключаясь на разговор с другим человеком, давая Вилли понять, что общение с ним на данный момент закончилось. Впрочем, на все последующие годы тоже.

Мужчина делал робкие попытки снова завязать с ней беседу, а Груня ловко уходила от тесного общения.

— Настырный парень... — шепнула ей на ухо Татьяна. — Но ты тоже хороша. Хоть объясни, на что сердишься, а то человек, может, не понимает, почему так резко попал в немилость.

— А если мне даже объяснять не хочется? — вздохнула художница. — Ничего, когда-нибудь поймет и отстанет. А потом, что значит — не понимает? Дурачок, что ли? Но вообще ты права, не мой он человек.

От этой, самой себе внушаемой мысли Груне стало легче, и она повеселела. Особенно умиляло, что Вилли все время смотрел на нее. А уж понимал тот, что к чему, или нет, Аграфену не волновало. Или она думала, что ее это не волнует.

Николай Еремеевич подсел к Груне на кровать и тихо спросил, продолжая гнуть свою линию:

— Подлечиться не хочешь?

— Что? Так я вроде... лечусь.

— При отравлении надо все продезинфицировать. А лучшего средства, чем хорошая водка, нет, — прошептал актер и приоткрыл полу пиджака.

Она посмотрела на торчащую из внутреннего кармана бутылку водки, и ее опять затошнило. Вот ведь, говорила же медсестре, что после таких посетителей ей снова станет плохо!

— С родины привез, берег для особого случая. Точно не отравленная! Видишь, закупоренная еще, — заверил ведущий артист их труппы и, кто бы сомневался, ведущий алкоголик их же труппы.

Аграфена растерялась и даже покраснела.

— Очень тронута, что мой случай ты причисляешь к особому, но, Николай, я только-только очнулась, можно ли мне водку? Я, как бы это получше выразиться, вообще не пьющая. А уж в свете последнего отравления совсем на спиртное смотреть не могу. Да и боюсь теперь...

— С родины бутылка, — дрогнувшим голосом повторил Николай Еремеевич.

Его слова прозвучали так, словно Груня изменяет родине, если отказывается пить родной напиток на чужбине. Было понятно, что ему просто нужен собутыльник, но почему мужчина выбрал именно ее?

— Предложи Эдуарду.

— Грозился уже уволить. — Актер нервно запахнул пиджак.

— Тогда Тане.

— Слишком громкая, услышат все... Да и не любит она меня. Никогда не любила. Столько лет играли с ней любовников или мужа с женой, а в жизни на

дух друг друга не переносим. Такая вот ирония нашей профессии...

— А я знаю, почему Ветрова недолюбливает тебя, — понизила голос Груня. — Вот именно, что вы всегда играли в паре. Я слышала, народ говорил, что ты ее переигрывал. Мол, у тебя особенная харизма. Это дошло до Таниных ушей, и ей, актрисе, явно не понравилось.

— Глупости... Ну, так? — умоляюще поднял на Грушу глаза Николай Еремеевич.

— Ладно, одну рюмку. То есть один глоток, — вздохнула Аграфена. А про себя подумала: если бы она всегда так легко соглашалась на все, то постоянно ходила бы беременная. Только пока ей предлагали всего-навсего выпить, а больше ничего.

— Но не здесь же? — огляделся ведущий актер, проявляя чудеса конспирации.

— Если из палаты выйти, сразу налево будет туалет, — тихонько сказала Груня, включаясь в игру и краем глаза замечая, что к ним приближается Вилли.

— Я могу присоединиться к вашей беседе? — спросил тот, пытаясь улыбнуться.

— Можешь! — твердо ответила Аграфена, вставая и беря Николая Еремеевича под локоток. — Мы пока в туалет, а ты поговори с госпожой Беседой! Вы вообще легко ко всем присоединяетесь, мистер универсальный присоединитель!

Вилли остался стоять с совершенно идиотским выражением лица, а Груня гордо удалилась с умирающим от смеха Николаем.

— Ты уже слышала о победе сексуальности Насти? — хитро посмотрел на нее главный герой-любовник и по совместительству главный алкоголик труппы.

— Слышала. Хорошо, что не от нее. Только я бы назвала это победой пошлости, вседозволенности и разврата. А еще глупости и жадности!

— Похоже, что парень и сам не рад, — попытался было вступиться за Вилли актер, проявляя мужскую солидарность.

— А мне на его радости и печали плевать! — очень громко произнесла художница в надежде, что и эта реплика долетит до кого нужно. — Раньше надо было думать!

— Так мозги уже отключаются, на тебе просто висит голая баба. Да еще спиртное... — промямлил Николай Еремеевич.

— Слушай, ты зачем меня позвал пить, если собрался все время нервировать? — даже притормозила Груня.

— А тебе надо немного переключить мозги... с красного цвета хотя бы на желтый.

— Что? Считаешь, они у меня слишком возбуждены? — потрогала свою голову Аграфена, словно мозги можно было почувствовать на ощупь и оценить степень их возбуждения по температуре кожи.

Николай Еремеевич рассмеялся. Они вышли из палаты, и тут актер вдруг схватился за сердце, прислонился к стенке.

— Ой! Ой-ой-ой! Что-то мне...

— Что случилось? — забеспокоилась Груня.

— Колет сильно... Ой! Чего ж так резко?

— Врача?! Удачно, что тебя здесь прихватило! Мы же в больнице. Сейчас помогут... — не на шутку заволновалась Аграфена и попыталась было побежать по коридору в поисках помощи. Но ведущий артист повис на ней мертвым грузом.

— Подожди, не суетись... Не надо мне врачей. Ты же знаешь, я их недолюбливаю. Да и водку обнаружат!

— Я ее себе возьму, спрячу.

— Не надо! И последствия от водки найдут в каждом органе... Ты думаешь, я не знаю, что ли? Опять начнется: «Вам совсем нельзя пить, в следующий раз сердце может не выдержать...» Ты лучше отведи меня вниз, там в машине есть таблетки от сердца. Я если разом две выпиваю, все как рукой снимает. Потому что они по назначению одного нашего известного кардиолога и всегда со мной. Привезены из России. А местным врачам и лекарствам я не доверяю.

— Ну, понятно, — вздохнула Груня. — А дойдешь хоть?

— Постараюсь...

— Ого! — выглянула в окно художница. — Лежу в палате и ничего не вижу. Этаж десятый у меня небось?

— Тринадцатый, — поправил Николай Еремеевич, сворачивая к лифту мелкими шажками.

Они вызвали лифт, вошли внутрь. И туда же, следом за ними, вошел Вилли. Груня проигнорировала его, гордо задрав нос. Она думала только об одном — чтобы лифт не застрял с находящимся внутри человеком, у которого сердечный приступ. Это уже было бы чересчур. Вилли молча нажал на кнопку с цифрой «1», и лифт поехал. Однако ехал недолго. Вдруг резко остановился, как-то дернувшись, и затих.

— Не может быть! — ахнула Аграфена, выждала пару секунд и судорожно нажала кнопку первого этажа несколько раз. Лифт с места не тронулся.

169

— Груня... — позвал Вилли.

— Обожди, не до тебя!

Она принялась нажимать на все кнопки подряд. Лифт оставался безучастным.

— Только не сейчас! Да что ж за невезуха такая?!! Ты, Коля, только держись, не паникуй. Тебе волноваться нельзя. Ничего, что-нибудь придумаем.

— А я и не волнуюсь, — совершенно спокойным голосом произнес Николай Еремеевич. И повернулся к Вилли: — Я же говорил, что она очень заботливая и добрая девушка. Вот гордячка невозможная, это да!

Груня несколько заторможенно похлопала ресницами и спросила:

— У тебя с сердцем что?

— Ничего, бьется пока.

— Отпустило уже? — повторила Груша. И уже слегка на повышенных тонах воскликнула: — Что здесь происходит?!

— Поговорить вам надо, — зевнул Николай Еремеевич. — На меня можете не обращать внимания, я здесь как бы для мебели. Дело молодое...

— Так ты... ты меня разыграл?! Не может быть! Значит, твой сердечный приступ... О, Николай, ты просто гениальный артист! Ге-ни-аль-ный! Браво! Только к чему этот цирк?

— Ты ведь не хочешь со мной поговорить? — подал голос Вилли.

— Какой ты догадливый!

— И дальше стала бы меня избегать, игнорировать? — продолжал хозяин отеля.

— Совершенно верно!

— А вот здесь, в тесноте и не в обиде, как говорится, у нас будет время пообщаться.

И тут Груша, что есть силы размахнувшись, залепила ему пощёчину.

— Ого! — съёжился Николай Еремеевич под взглядом, которым она наградила и его.

— Тебя бить не стану, по старости. Но и разговаривать тоже не буду.

— Груня, послушай... Можешь избить меня всего, если тебе легче станет, — потёр щёку Вилли.

— Легче мне станет, если я выйду отсюда, чтобы не дышать с тобой одним воздухом! Ишь чего удумал, силой принуждать к миру! — зло высказалась она.

— Друзья, давайте выпьем... — Николай Еремеевич достал бутылку и три пластиковых стакана, словно фокусник.

— Ты смотри, подготовился! Ну, артисты! — Аграфена, не удержавшись, хохотнула. И повернулась к Вилли: — А как тебе удалось лифт остановить? Хотя что я удивляюсь? Ты же здесь известная личность. Наверняка и в больницу эту нас положили к какому-нибудь твоему другу доктору. А ничего, что я пациентка и мне лежать надо, отдыхать, а не находиться в лифте с двумя неприятными мне типами?!

— Она несносна, — растерянно произнёс Вилли. — Я надеялся на более позитивный разговор.

— А я предупреждал, — буркнул актёр и посмотрел на бутылку с вожделением.

— Кто бы говорил! — фыркнула художница.

— Ничего, вот сейчас выпьем, и сразу же типы будут не такие неприятные, — спокойно произнёс Николай Еремеевич.

Он протянул всем по стаканчику и по малосольному огурчику, вытащенному из пакета, лежавшего в другом кармане. Забулькала жидкость... Груня выпила и поморщилась. Затем все трое захрустели огурцами.

— И надолго я ваша пленница, мистер Казанова? — спросила Аграфена, глядя в глаза Вилли и чувствуя, как разливается у нее внутри тепло. Эту свою реакцию она приписала исключительно горячительному напитку, а не мягкому взгляду красавца-мужчины.

— Пока не поговорим, — невозмутимо ответил тот.

— Тогда давай побыстрее! Скорей вырвусь отсюда и заявлю в полицию за хулиганство и незаконное удержание. Прямо Дебрену и заявлю на вас двоих! Да-да, я помню, что и он твой знакомый, но я ему жизнь спасла, вот и посмотрим, что для него важнее. Вряд ли он отплатит мне черной неблагодарностью. — Груня хрустела огурчиком, улыбаясь. — А вы чего притихли, ребята? Разливай, Николай Еремеевич! В тюрьме-то долго наливать не будут. Хотя ладно, я попрошу для вас скидку — за талант! А то ты ведь без водки жить не можешь. А ты, Вилли, без бабы, видимо, не можешь, в тюрьме тяжеловато придется. Это проблема! — свела брови на переносице Аграфена. — Но я знаю выход — передам тебе в тюрьму резиновую женщину. У меня теперь наследство, десять тысяч долларов, поэтому я могу оказать спонсорскую помощь особо нуждающимся и куплю ее тебе. Давай наливай!

Николай Еремеевич подчинился. Троица выпила, и актер обратился к Вилли:

— Ну, так говори уже...

— А я передумал! Она неадекватна! — вдруг выдал хозяин отеля и несколько раз нажал кнопку вызова.

Лифт послушно поехал и остановился на первом этаже. Вилли вышел из него и двинулся по холлу больницы к выходу.

— Ты что, так и уйдешь? — оторопела Груня, совсем не ожидавшая такой реакции.

— Ты же этого хотела! — бросил через плечо Вилли. И удалился.

Настала очередь Груше остаться с открытым ртом.

— Во дает! А чего он ушел? Испугался, что и правда в полицию сообщу? Я же пошутила, очень нужно! — фыркнула художница.

— А ты думала, что вечно будешь над ним издеваться? Ну и дура же ты, Груня... правда, дура, — покачал головой Николай Еремеевич. — И водку не допили. А знаешь что? Пойдем во двор! Парк тут потрясающий.

— Там меня еще кто-то с разговорами ждет? — напряглась Груша, начиная сожалеть, что перегнула палку.

— Не-а, один только хотел, очереди беседовать с тобой не выстроилось, — засмеялся ведущий артист труппы.

— Это он тебе бутылку подарил? — спросила вдруг Аграфена.

— Обижаешь... Я бы тебя за бутылку не сдал. Только за две!

— Деньги? — продолжала гадать Груня.

— Теперь ты Вилли обижаешь. Я действовал совершенно бесплатно, по наитию, из моего доброго отношения к вам обоим, — ответил Николай Еремеевич.

Глава 15

На просторной территории перед больницей, по бокам подъездной дороги, был разбит парк с аллеями и множеством скамеек. Груня больше любила парки несколько запущенные, густые и дикие, а здесь все было сильно окультурено, посажено в рядок, подстрижено, как по линейке. Они с Николаем Еремеевичем вышли и сели на одну из свободных скамеечек ярко-зеленого цвета.

— Ты хочешь что-то спросить? — обратилась художница к своему спутнику.

— Скорее рассказать, иначе все мои предыдущие потуги теряют смысл.

— Какие потуги? — не поняла Груня. Она сорвала травинку с газона и теперь задумчиво ее покусывала.

— В лифте, — пояснил Николай Еремеевич. — В общем, слушай!

— Вся во внимании.

— Водка и правда привезена из России, — начал издалека Николай Еремеевич.

— Ты опять о водке? Допей ты ее уже, раз все мысли только о ней.

— Не будь так нетерпелива! Я к тому говорю, что вчера ночью у меня была бутылка водки. Мне надоело пить мартини и шампанское, всю эту сладкую гадость, которой нас щедро снабдил Вилли, и захотелось выпить нормального мужского напитка.

— То есть водки, — уточнила Груша.

— Ну, да! И я стал думать...

— С кем можно разделить ее, то есть распить? — спросила Груша, опережая рассказчика на ход вперед.

— Ты бы еще сказала — найти собутыльника, — слегка надулся актер.

— Ну зачем же так грубо!

— Извини. Вернувшись в отель, я в первую очередь вспомнил о тебе. Но тебя не нашел и пошел к Эдуарду. Он сам уже прилично принял, поэтому не должен был на поздний визит рассердиться. Но, подойдя к двери его номера, услышал: у него женщина. Ну, ты понимаешь... Кричала она знатно. Я оторопел и решил подождать. Мало ли что, может, она скоро уйдет и мы с Эдиком спокойно примем на грудь.

— То есть жажда выпить оказалась сильнее здравого смысла и правил приличия? — по-своему поняла слова актера-алкоголика Груня.

— Я присел там невдалеке в закутке, где уборщица прячет тряпки, ведра, свой огромный пылесос и прочие причиндалы, и стал ждать...

— А женщина все кричала и кричала? — рассмеялась Аграфена.

— Именно так, чего ты смеешься. Я же не знал, что так долго будет... Есть такие мужики, которые даже

175

выпивши — о-го-го, но наш Эдуард Эрикович просто сексуальный гигант какой-то! Короче, я там даже вздремнул немного. Потом не выдержал и открыл бутылку.

— Как открыл?

— Открыл и выпил половину. А потом и допил, — нахмурился Николай Еремеевич.

— А это тогда что за бутылка? Что мы сейчас пьем? — подозрительно поинтересовалась художница.

— А ты думала, я с одной приехал? Да у меня их... — Николай Еремеевич браво тряхнул седеющим чубом. Груня вытащила травинку изо рта.

— С ума сойдешь с тобой! Как же все-таки хорошо, что я никогда не метила в жены к артисту. Я бы все время ему верила, и супруг бы меня все время, как дурочку, обманывал. Ты ведь говорил: «Я привез одну бутылочку с родины для особого случая...» То-то твой чемодан был неподъемным, а ходишь постоянно в одной и той же одежде. Теперь понятно... Как только таможня пропустила? Сколько там можно иметь литров на человека? Небось сказал, что это на всю нашу труппу.

— Вот я бы тоже не хотел иметь такую сварливую жену! Проще надо быть и добрее к людям, принимать их вместе с их недостатками!

— Ага, ты хотел бы в жены Татьяну! — выпалила Аграфена, и Николай Еремеевич закашлялся.

— С чего ты решила?

— Так я теперь иду от обратного. Недавно ты говорил, что недолюбливаешь ее, а я верила. Ты много чего мне говорил, и я верила... Значит, сейчас, следуя

этой логике, ты должен сказать, что любишь Таню, — пояснила художница.

Николай Еремеевич разлил остатки водки и вздохнул.

— Страшный ты человек, Груня! За один раз разгадала все мои загадки, причем не сердцем, а логическим рассуждением.

— Так что? Это правда?! — удивилась Аграфена.

— Всю жизнь люблю ее, стерву, — кивнул актер. — А она всю жизнь любит Эдика. Ну, конечно! Он у нас видный, сексуальный, непредсказуемый! Да, кстати вот о сексуальности... Я же там под дверью так и сидел с бутылкой, прятался, чтобы не заметили. Видел Татьяну, блуждавшую по коридору, видел Вилли. И только под утро из номера Эдуарда вышла... Настенька, собственной персоной. Она, видимо, с остервенением отрывалась на Эдике, когда получила отказ от мужчины, на которого вешалась весь вечер. Честно говоря, я не очень был удивлен, от Насти только такое и можно ожидать. Но с утра она стала всем рассказывать, что провела ночь с Вилли, и вот тогда я удивился. А Вилли молчал... Я не выдержал, подошел к нему и сказал, что я знаю, в чьем номере на самом деле была Настя, и мне странно, что он не возражает. Ну, Вилли мне и рассказал...

— Что? — весьма заинтересовалась Груша.

— Купишь мне бутылку коньяка? — вдруг спросил Николай Еремеевич.

— Это шантаж? — Брови Аграфены поползли вверх.

— Да.

— Хорошо, куплю. Дальше.

— Вилли рассказал, что, когда все приехали в отель, к нему в номер пришла Настя — вся в слезах. И зая-

вила, будто поспорила с подружкой Яной, гримершей, что ни один мужик не устоит перед ее чарами, ее красотой, а уж если увидит голой, то и совсем голову потеряет. Поспорили они на все деньги, которые у Насти с собой, на тысячу евро, что она проведет ночь с Вилли, поскольку именно его выбрала своей жертвой. И вот первый раз у нее произошла осечка. И уж так она переживала! Даже не из-за денег, а больше из-за потери репутации неотразимой женщины. Короче, Настя уговорила его подтвердить информацию. Вот и все...

— И ты не обманываешь меня опять? Вы с ним вдвоем разработали эту версию? — подозрительно спросила Аграфена.

— Честно все сказал, как на духу! Кстати, я еще тогда спросил у Вилли, не показалось ли мне, что он интересуется тобой. И он ответил: так и есть. Я задал ему вопрос, не кажется ли ему нелогичным подобным способом спасать имидж одной женщины, если та, которая интересна, все это тоже узнает. На что он беспечно сказал, что все тебе объяснит и ты поймешь. А я, зная тебя и твой характер, сразу же заявил, что объясниться с тобой ему будет крайне сложно — он теперь и не приблизится к тебе, ты даже разговаривать с ним не захочешь. В принципе, все именно так и произошло. Тогда Вилли струхнул и разработал этот план, чтобы вынудить тебя выслушать его, мол, произошла ошибка, ни с какой Настенькой он не связывался... И его план провалился. Как ты ему залепила! Класс!

— Он идиот, что ли, подписываться на подобные вещи? А если кто поплачется и попросит его взять

на себя вину за убийство, Вилли тоже согласится? Подставит, так сказать, свое мощное плечо? — Груня, у которой тем не менее с души камень — целая глыба! — свалился, все равно злилась.

— А если бы это было правдой, ты что, серьезно бы не простила? — покосился на нее Николай Еремеевич.

— Нет, конечно.

— Но ведь он же тебе еще не муж, ты чего истеришь-то?

— Вот именно! Зачем замуж выходить за того, кому уже не доверяешь и кого не уважаешь? Вы прямо с Таней одинаково говорите! Спектакль завтра?

— Завтра.

— Смотри, не увлекайся привезенными с родины напитками.

— Не волнуйся, я буду как огурец, ты меня знаешь. Премьера — святое дело!

— Да, дал бог тебе памяти. Порой смотрела на тебя и удивлялась — человек с трудом на ногах стоит, а текст помнит.

— Многолетняя тренировка! — похвастался Николай Еремеевич, заметно повеселевший.

— Ой, а мы-то с Таней еще в больнице! — вдруг спохватилась Груня.

— Декорации без тебя поставим, не переживай. Кто ж знал, что форс-мажор случится? А Таня...

— Она выйдет к спектаклю, для нее это тоже святое, — высказалась Аграфена. И тут же напряглась — ей не понравилась театральная пауза, выдержанная Николаем Еремеевичем. — Что такое? Ты чего-то недоговариваешь?

— Тебе нельзя нервничать...

— Что случилось? После таких фраз как раз и начинаешь сильно нервничать. Говори, сегодня день откровений!

— Эдик...

— Ну же, дальше! Мне каждое слово из тебя клещами вытаскивать, что ли?

— Заранее предупреждаю — я уже поссорился с ним. Он вчера вечером признался мне... Короче, он очень рад, что Таня оказалась в больнице. Отрава, конечно, не его рук дело, но само провидение ему помогло. На него давно давила «молодая акула» Настенька, которая категорично требовала вывести ее на главные роли, но совесть не позволяла выкинуть вон женщину в возрасте, с которой много лет длились интимные отношения, и поставить молодую фаворитку.

— Ему не совесть не позволяла, а взрывной характер Тани. Эдик знал, во что это может вылиться, — пробормотала Груня, помрачнев, так как уже поняла, к чему клонит Николай Еремеевич.

— Может, и так, не знаю. Хотя, пожалуй, ты права, Колобов давно думал о замене. И тут такая удача — Таня загремела в больницу накануне премьеры... за границей! — Ведущий актер развел руками.

— Так вместо Татьяны завтра выйдет Настя?! — ужаснулась Груша.

— И уже ничего поделать невозможно, — примерил на себя какой-то печальный образ Николай Еремеевич.

— Как невозможно? Да он в своем уме? Она ведь живет театром!

— Эдик сказал, что принял твердое решение, увидев Таню на репетиции. Мол, в этом старом театре Ветрова смотрелась, словно Квазимодо. Наш режиссер занял удобную позицию: Таня сама виновата. Для актрисы лицо — инструмент, и она его сломала. Не играть же ей в маске!

— Таня знает? — осторожно спросила Груня.

— Нет еще. Ох, как-то нехорошо мне... Чувствую себя предателем, хоть от меня ничего и не зависело. Столько лет вместе играли! Мне совсем не хочется играть с Настей. Вот совсем! Просто тошнит!

— Татьяна этого не перенесет! — ахнула Груня. И поморщилась: — Хорошо, видимо, Настя ночью зажгла, уж постаралась... Все совпало. Но это нельзя просто так оставить! Поговори с Эдуардом, вы же друзья!

— А что я ему скажу? Кстати, я пытался переубедить его, но безрезультатно. Говорил уже — мы даже поссорились.

— Скажи, что отказываешься выходить с Настей на сцену. Что будешь играть только в паре с Татьяной. Ну сделай же что-нибудь!

— Ага, и Колобов так же легко заменит меня.

— Не заменит! Тебя — не на кого! — заверила Аграфена.

— Может, ты с ним поговоришь? — предложил Николай Еремеевич.

— А я-то что могу?

— Он тебя ценит. Пригрози, что уволишься, Эдик, думаю, испугается. Или скажи, что оспоришь наследство. Ведь ты — дочь Марка, почему театр заве-

181

щан другому человеку? А тоже, по-моему, хороший инструмент воздействия.

— Это подло, — задумалась Груша.

— А Таню в таком критическом для актрисы возрасте не подло выбрасывать на помойку? Как вообще можно делать гадость человеку, лежащему в больнице? — задал встречные вопросы Николай Еремеевич.

И с ним было не поспорить.

Глава 16

Аграфена решительным шагом подошла к портье пятизвездочного отеля Вилли и спросила:

— Извините, я могу видеть Вилли?

— У меня нет такого поручения.

— Какого поручения? Я вам не даю никакого поручения! Мне нужен Вилли. Он же здесь главный?

— Это так, — осторожно ответил портье.

— А я его знакомая.

— Очень приятно. У господина Вилли очень много знакомых.

— Позвоните и спросите у него, хочет ли он меня видеть, — настаивала Груня. — У меня к нему дело, в котором речь идет о жизни и смерти.

— Не имею полномочий решать вопросы жизни и смерти.

— А просто позвонить и спросить у него вы можете? — начала заводиться художница.

— Хозяин не предупреждал, что придет кто-то важный для него. И я не хотел бы его отвлекать...

— Так дайте мне его телефон, я позвоню сама! — Терпение у Аграфены уже заканчивалось.

— Нет таких полномочий.

— Вы издеваетесь надо мной?

— У меня нет полномочий издеваться над людьми.

— Да что вы?! — искренне удивилась Аграфена. — Вы, видимо, несете смех и радость людям? А жить мне где? У вас будут неприятности, если я останусь на улице!

— Ваше имя и фамилия? — несколько дрогнул ее собеседник.

— Аграфена Пичугина.

— Вы можете жить в номере Вилли, мне дано такое распоряжение, — спокойно ответил портье, нисколько не меняясь в лице.

— Да что вы? А где же он сам?

— Не имею...

— Извините, а где у вас кнопка? — вдруг спросила Груня.

— Что? — поднял густые брови домиком портье.

— Где ваш пульт управления? — строго произнесла Груня. — Я хо-чу вас пе-ре-прог-рам-ми-ро-вать.

«Домики» сложились обратно. Видимо, юмор мужчина все же воспринимал.

— Я понимаю вашу иронию. Вы живете в номере с Вилли, но немало женщин приходило к нему и жило с ним. Большинство оставались на одну ночь... — Портье многозначительно посмотрел на художницу, намекая, что и она может оказаться такой вот однодневкой.

— Меня не интересуют подробности его личной жизни, — сухо заметила Аграфена.

Зачем коту копыта?

— И это не значит, что я должен всем докладывать о его передвижениях, — продолжил портье. — А если учесть, что сам комиссар полиции предупредил весь персонал о грозящей хозяину угрозе... Нам запрещено вообще говорить о нем. Я очень уважаю Вилли и никогда не нарушу распорядок. Кроме того, если кто-то будет наводить справки о нем, особенно о том, где он находится, о его маршруте передвижений и расписании встреч, нам велено незамедлительно сообщать в полицию. Так что...

— А на наводящие вопросы вы можете ответить?

— Не знаю. Смотря что за вопросы.

— Вилли в отеле?

— Нет.

— В Будапеште?

— Нет.

— Он вылетел из страны?! — воскликнула Груша.

— Боюсь, что да. По работе.

— А куда?

— Я не в курсе. Знал бы — не сказал.

— Телефон... — рискнула все же попросить художница.

— Нет.

— Понятно, — вздохнула Груня. — Дайте ключи от номера.

— Пожалуйста.

— Я, значит, буду в номере одна? — уточнила она.

— Совершенно верно, — подтвердил собеседник.

— А когда Вилли вернется?

— Не имею ни малейшего понятия, — твердо заявил портье, но Аграфена ему почему-то не поверила.

— Спасибо и на этом.

Груня поднялась в люкс к Вилли и осмотрелась. В апартаментах было убрано и стерильно чисто. Художница подошла к бару и достала бутылку шампанского.

— А кто откроет? — вслух спросила она. И сама себе ответила: — Да я же и открою. Такое дорогущее шампанское, где и когда я еще смогу такое выпить... А живу я без мужчины, значит, должна все делать сама. И сделаю! Снимается фольга, затем вот проволочка...

— А ты что тут делаешь? — раздался за ее спиной визгливый, неприятно-высокий женский голос.

Аграфена обернулась как раз в тот момент, когда пробка выскочила из бутылки и влетела прямиком в лицо вошедшей Насти, окропив ее всю шампанским. Полбутылки было потеряно.

— Ай-ай! Ой-ой! — кричала Настя, схватившись за лицо. Но ее руки, зажимающие нос, не могли остановить просачивающуюся тонкими струйками кровь.

Груня кинулась к старлетке, поволокла ее в ванную комнату. Холодная вода мало чем помогла, только сильно напугала Настю, когда кипенно-белая раковина перед ней окрасилась кровавыми разводами. Тогда Груня отвела ее в комнату, уложила на диван, положив на лицо молодой актрисы мокрое, холодное полотенце.

— Успокойся ты уже! Подумаешь, пробка в нос влетела...

— Ты это сделала специально! — визжала Настя каким-то сорванным голосом.

— Ага! Делать мне больше нечего...

— Но так нельзя попасть случайно! Ты прицелилась! Ты убить меня хотела! — ныла Настя. — Зачем я только сюда сунулась? Ты сумасшедшая!

— Разве пробкой от шампанского убивают? — начала нервничать Груня.

— Ты хотела оставить меня без глаза, чтобы я не смогла играть! — не сдавалась Анастасия, изображая из себя умирающего лебедя.

— Нужна ты мне! Я просто выпить дорогого вина хотела.

— А оно еще осталось? — спросила Настя, приподнимая полотенце с лица.

— Полбутылки, — ответила Аграфена, кинув взгляд на присмиревшую жидкость.

— Налей... — тоном умирающего лебедя попросила Анастасия.

Художница разлила остатки в два бокала, таких больших, под коньяк, сразу же предупредив:

— Закуски нет.

— Ничего страшного, я талию берегу, — ответила Настя, приподнимаясь на диване и отнимая полотенце от лица. — Вроде кровотечение прекратилось... По крайней мере, я больше не чувствую этот противный кисловатый вкус крови во рту. Что? Что ты на меня так смотришь? — испугалась Настенька.

— Так, ничего, — ответила Груня, ужасаясь размерам ее огромного синюшно-багрового носа.

Настя аккуратно потрогала его.

— Сильно распух?

— Прилично. Ты похожа на Тайсона. То есть на афроамериканца, занимающегося к тому же еще и боксом.

— Кошмар какой! Ты сломала мне нос! — Аграфена залпом выпила шампанское и поморщилась. — Так что ты тут делаешь?

— Я тут живу.

Груня тоже выпила шампанского. Она как-то сразу прекратила злиться на Настю — и из-за распухшего носа, и из-за того, что узнала про неосуществленные амбиции старлетки. Ей даже стало немного жалко ее.

— Тут живет Вилли, — прохныкала Анастасия.

— Мы живем тут вдвоем, Вилли и я, — поправила Груня, закидывая ногу за ногу.

— Вас двоих, вместе, нет! — злобно заявила Настя.

— И что?

— Я провела с ним незабываемую ночь, — завела свою сказку юная актриса.

— Очень хорошо. И каков он? — улыбнулась Груня.

— Великолепен!

— Очень хорошо! Ты провела с ним одну ночь, а я проведу все остальные. И это даже не обсуждается. Только попробуй просто посмотреть в его сторону! Сама убедилась, как я управляюсь с обычной проб- кой из-под шампанского, а уж что я могу сотворить ногтями и зубами, тебе лучше не знать, — пригрозила наглой девице Груша, улыбаясь и разом понимая, что вся ее ревность улетучилась, и ей сразу же стало легче дышать.

Настя поежилась и недовольно спросила:

— И чего он в тебе нашел?

— Загадочность.

— О, ее в тебе полно! Ну, ладно, я достигла своей цели и уступаю Вилли тебе. В твоем возрасте — это последний шанс. А я еще и не такого мужчину отхва-

чу! — заявила Анастасия, складывая свои слегка переколотые гелем губки бантиком.

— Ты достигла своей цели, выгнав Таню с ролей? — уточнила Груня.

— А тебе-то что? Вы подругами не были.

— Женская солидарность. Она — наши старые кадры.

— Понятно. Ты такая же старушка. По возрасту точно ближе к ней, — хмыкнула Настя, вальяжно развалившись на диване.

— Думай что хочешь. Только не доросла ты еще, чтобы вот так вышвырнуть ее с ролей.

— Не тебе решать! Все уже без тебя решено! — нахально заявила старлетка.

— Отработала у Эдуарда? — прищурила глаза Аграфена. Ну что за характер у этой еще молодой женщины? Все бы ей делать пакости...

— А то!

— А то, что у Тани с Эдуардом Эриковичем много лет были близкие отношения, тебя не смущает? Хотя кого я спрашиваю... — сокрушенно махнула рукой Груня.

— Меня — нет, не смущает. Мало ли с кем у него что было! — честно ответила Настя, которая гнула свою линию — дорогу молодым, причем любым способом.

— А ведь он и тебя сможет взять да и поменять на кого-то в недалеком будущем. Это тоже не смущает? — спросила Аграфена.

— Нисколько! Старик уже не доживет, не успеет поменять меня на кого-то. — Анастасия рассмеялась, что выглядело дико при ее синем, опухшем носе. Прямо злой клоун из фильмов ужасов.

— Ты злая, Настя.

— И что? — беззаботно спросила девица.

— Неужели тебе совсем не жалко Ветрову? — Аграфена все пыталась найти в собеседнице хоть каплю женского сочувствия.

— Жалелки не хватит всех жалеть. Мне что, ждать, когда она умрет от старости на сцене? Так я и сама уже в годах прибавлю. А чтобы она сама ушла — не дождешься.

— То есть призывать к твоей совести бессмысленно? — уточнила Груша.

— Абсолютно. У меня ее нет. А про то, что ты ходила к Эдуарду и грозила ему уйти, если он снимет с ролей Таню, я уже в курсе.

Груня опустила глаза. «Значит, девица в курсе, что Эдуард Эрикович не повелся на мою провокацию и совершенно спокойно и неожиданно уволил меня».

— Да уж, добро только в сказках побеждает, — усмехнулась она.

— Точно! На этот раз и ты пострадала. Потому что очень не вовремя влезла к Эдику с просьбой вернуть Ветрову. Наш режиссер все не знал, как от нее отделаться, а тут такой шанс выпал — у той рожу перекосило, да еще траванулась перед премьерой. И декоратора другого он тоже найдет. Не великая ты знаменитость. Эдуард теперь ни перед чем не остановится! — выпалила Анастасия.

— Я не сомневаюсь, у него теперь хороший советчик, дела театра пойдут в гору... Ты, Настя, бесстыжая, вульгарная бездарность. И обоим вам все равно не построить счастья на костях других людей.

Зачем коту копыта?

— Кто бы говорил! Уж не знаю, что ты с Вилли сделала, просто приворожила с первого взгляда, — огрызнулась старлетка и встала с дивана. — Ладно, я пошла. Вообще-то я к Вилли приходила, да вот тебя застала. Покедова, уволенная декораторша! Отхватила свой куш, так и молчи! — Настя развернулась на каблуках и выскочила из номера.

«Все-таки хорошо, что я ей лицо разукрасила. Понимаю, что Таня все равно выглядит хуже, но и эта нахалка тоже теперь не фонтан», — подумала Аграфена.

Набравшись смелости, то есть выпив еще шампанского, она отправилась к Татьяне.

Глава 17

Под дверью номера Ветровой Груня провела томительно долгое время. На все ее просьбы и мольбы Таня отвечала: «Я никого не хочу видеть! Уходи, Груша».

— А я вот очень хочу тебя увидеть! — твердила художница. — Вот такое у нас тут несовпадение. Я ведь, между прочим, тоже уволенная, так что мы с тобой в одинаковом положении. И полетим домой в одном самолете. И если ты, Таня, мне сейчас не откроешь, я буду вынуждена полезть к тебе через балкон — или с первого этажа, или из соседнего номера. Сразу же предупреждаю: я эквилибристикой никогда не занималась, так что если сорвусь вниз, будешь виновата ты. Я прямо сейчас составлю завещание, и пусть именно так напишут на моей могильной плите. Здесь, я смотрю, уже открыт конкурс на самое нелепое завещание. Думаю, что я хоть и не сценаристка, и не режиссер, смогу переплюнуть своего папашу. У нас с ним это в крови у обоих.

Дверь открылась.

Зачем коту копыта?

Груня рванула внутрь, гадая, в каком настроении находится Таня. Актриса могла быть агрессивна, полна злобы, горечи, обиды и жажды мести. И в таком состоянии под ее горячую руку лучше было не попадаться. А если Ветрова раздавлена, уничтожена, заревана и готова наложить на себя руки, то это очень и очень опасно. Артисты — люди весьма импульсивные и эмоциональные, способны натворить что угодно. А уж после такого страшного для актрисы известия, что она снята со всех главных ролей из-за возраста и временно изуродованной внешности, от Ветровой можно ожидать всего. Художница, когда шла сюда, даже боялась увидеть бренное тело Татьяны в петле, без малейшего шанса к возрождению. В общем, сердце Аграфены готово было выскочить из груди. Она бросилась к Тане, сидящей перед трюмо, — и остолбенела от неожиданности.

На актрисе было красивейшее светлое платье с глубоким декольте и красным бантом. Распущенные темные волосы, ярко накрашенные глаза, нежная улыбка... Выглядела она просто сногсшибательно! Груня даже не сразу поняла, что лицо у нее больше не перекошено.

— Господи, Таня, ты так великолепно выглядишь! Ты смеешься? С тобой все в порядке?

— А ты не видишь? Я чувствую себя превосходно. Сегодня чудесный день. И я всегда буду такая красивая, — самодовольно заявила Ветрова, поправляя шелковистые и блестящие волосы.

— Ой, Таня, но как же... Ведь полгода не прошло... Твой ботокс... — растерялась Груня.

— Да не было у меня никакого ботокса! Дура я, что ли, вкачивать в лицо то, что парализует его мышцы? Я же лицом работаю! Это все равно что у бегуна парализовало бы ногу.

— Но... но... — У Груни что-то совсем нарушилась речь. И художница даже присела, чтобы не упасть.

— Здорово я всех провела. Конечно, я притворялась. Мне захотелось узнать, как отреагирует Эдик. Думала — пожалеет, посочувствует... А он сделал то, что сделал. Подсознательно я боялась обнаружить, что он именно так плохо ко мне относится, надеялась на другое. И вот — на тебе, оправдались самые страшные мысли и подозрения. Ну, ничего, я не в обиде. Зато пелена спала с моих глаз. Я теперь ясно увидела, что ради него не стоило гробить свою жизнь, и как бы освободилась из плена, пусть и поздновато. Но, как говорится, лучше поздно, чем никогда, — объяснила Татьяна.

— И что ты будешь делать? — спросила Аграфена, понимая, что при общении с артистами действительно всегда сохраняется реальная возможность сойти с ума.

Таня повернулась к зеркалу и поправила волосы — причесала на другую сторону, словно вымеряя каждый сантиметр в своей внешности, проверяя, как ей будет лучше.

— Хочешь, я набью Эдику морду из-за твоего увольнения? — неожиданно предложила она.

— Совсем не хочу. Я тоже больше не хочу работать с человеком, который может... может вставить нож в спину.

— Хм, и я о том же. Значит, ты меня понимаешь. Все будет хорошо, не переживай! — Груня обнаружи-

Зачем коту копыта?

ла, что где стояла, там и села, а именно на журнальный столик, смяв какие-то журналы. Но там и осталась. — Я, наверное, была слепа и глуха. Я столько лет проработала в театре и думала, что все про всех знаю. А вы, артисты, оказались страшными людьми. Вы такое творите! Как можно устраивать подобные проверки? Ты неделю ходила с таким жутким лицом, а выходит, притворялась. Ради чего?

— Мы любим розыгрыши и, главное, умеем разыграть и обмануть.

— Я это уже поняла, и мне стало страшно, — грустно проговорила Груша. — Когда мы полетим домой?

— А Вилли где?

— Не знаю. И никто не говорит, где он, — в целях безопасности. Мы так и не поговорили, но он оставил мне деньги и дал распоряжение, что я могу жить в его апартаментах, — пояснила Груня. И тут же нахмурилась: — Словно я содержанка какая-то! Да мне от него ничего не нужно! Ты права — мы разные люди, словно из разных миров.

— А я бы вот деньжата прихватила, — усмехнулась Ветрова, выглядевшая сейчас на все сто.

— Кто бы сомневался! — вздохнула Аграфена. — Таня, давай улетим побыстрее?

— Нет уж, я останусь на премьеру. Хочу увидеть их провал.

— Почему ты думаешь, что будет провал? — удивилась художница.

— Отчего-то просто уверена, — рассмеялась бывшая ведущая актриса. — Как я выгляжу? Скажи мне еще что-нибудь приятное!

— Я уже проглотила язык.

195

— Тогда идем со мной!

— Куда? — растерялась Груня.

— Я приглашена на свидание в местный ресторан. Там, кстати, интерьер, скажу я тебе!.. Букингемский дворец отдыхает! — Ветрова закатила красиво подведенные глаза.

— Рада за тебя. Но ведь на свидание с подружкой не ходят.

— Я не прошу тебя держать свечку, — хихикнула Татьяна. Затем решительно взяла с трюмо сумку-клатч. — А поужинать с нами ты вполне можешь.

— На таких ужинах люди знакомятся, разговаривают, узнают друг о друге побольше... А я-то там что буду делать? — сопротивлялась Груша.

— Поверь мне, ты нам не помешаешь. Тем более что мы хорошо знаем друг друга, — рассмеялась в ответ актриса и подхватила Аграфену под руку.

Глава 18

Ресторан в пятизвездочном отеле на самом деле выглядел весьма помпезно и богато. Груня, одетая в обычное платье, чувствовала себя не в своей тарелке.

Татьяну там ждал представительный мужчина в черном костюме и при бабочке. Груня чуть не присвистнула, когда обнаружила — не сразу! — что этот импозантный господин не кто иной, как... Николай Еремеевич. Видимо, выпивоха привез с родины не только бутылки, но и безупречно сейчас сидящий на нем смокинг. Ведущего актера было абсолютно не узнать.

— Присаживайтесь, девочки, — раскланялся он.

— Коля, надеюсь ты не против, что я не одна? — спросила Татьяна.

— Конечно же нет. Я за Грунечку — всегда горой! — подмигнул мужчина.

Ветрова толкнула Аграфену локтем:

— Что я тебе и говорила: знаем друг друга сто лет, и знакомиться не надо. Давно известно, что супруги у людей в возрасте получаются из давнишних друзей.

197

— В вашем варианте — да! — улыбнулась Груша и уселась за стол. — Ого! Отродясь столько приборов не видела!

— Я в таких случаях беру то, что мне нравится или что кажется наиболее удобным, — сказала Таня. И призывно посмотрела на Николая: — Чем будешь потчевать?

— Я уже заказал шампанского. А уж яства вы сами выбирайте, нам принесли меню на русском. Обслуживание здесь на уровне.

Груня чувствовала себя участником не совсем реального шоу, потому что один вид Николая Еремеевича в смокинге с бабочкой, пьющего шампанское, способен был серьезно подорвать психическое здоровье у любого человека, знающего его много лет.

Она открыла меню и содрогнулась — на описание каждого блюда там тратилось по полстраницы мелкого текста. Например: «Кусок телятины зернового откорма с полей Австралии с фламбированными французским коньяком ягодами брусники, доставленными из Канады, и с можжевеловым соусом по рецепту жителей Гренландии. К нему рекомендуем гарнир... и вино...» Поэтому ткнула в первое попавшееся название пальцем. Выбранным блюдом оказался салат с пармской ветчиной, перепелиными яйцами, сырами, вялеными помидорами, кедровыми орешками и фирменной заправкой.

— Мяса бы... — растерялся Николай Еремеевич.

И Груня помогла ему:

— Вот тут предлагают классический стейк с картофелем, зеленью и тмином.

— Очень хорошо, — обрадовался актер, — прямо гора с плеч. А то накрутили тут...

— А степень прожарки? — уточнила Аграфена.

— Ну, чтобы сочно, но без крови...

— Медиум, — кивнула солидному официанту художница. И перевела его слова Ветровой: — Теперь он обращается к тебе и интересуется, что будет кушать дама.

Татьяна так глубоко и шумно вздохнула, что близсидящие мужчины вздрогнули, боясь и ожидая одновременно, что ее большой бюст выскочит из глубокого декольте. Таня опять торжествовала, доказав в очередной раз, что она еще — о-го-го!

Официант тоже засмотрелся и спросил во второй раз, словно прося ее телодвижений на «бис»:

— Что будет мадам?

А та изогнулась игривой кошкой и нежно промурлыкала:

— Грунечка, объясни ему, что женщина хочет сладенького. Настроение у меня сегодня такое — только сладкие блюда. И выпечка, обязательно! Она у меня распределяется в нужных местах.

Таня снова вдохнула полной грудью, повторив упражнение на «бис» под взглядами многочисленных окружающих.

Официант кашлянул и предложил через Грушу для «сладкой дамы» несколько блюд. Художница внимательно выслушала и повернулась к Ветровой:

— Таня, извини, я не дословно, тут такие обороты... Он говорит, что очень вкусен земляничный пирог в коньячно-ликерной подливе. Еще предлагает клубнику в ванильно-банановом йогурте и зефирное суфле из сыра и лесных ягод с чем-то там в дополнение.

— Звучит соблазнительно! Пусть несет все! — кивнула актриса Ветрова, весьма игриво посмотрев на своего визави, на официанта, а также на присутствующих рядом мужчин.

— Ты великолепна! — засмотрелся на нее Николай Еремеевич, явно совсем не ревнуя.

— Я знаю.

— А я знаю, для чего ты пригласила меня на свидание... то есть снизошла до меня. Чтобы я завтра провалил спектакль, играя в паре с молодой стервой?

Таня весьма эффектно округлила накрашенные глаза.

— С тобой даже неинтересно. Ты уже все знаешь и совершенно правильно понимаешь. Словно всю жизнь прожили вместе... Хотя мы ее и прожили, правда, на сцене.

— Конечно. Ты давно знаешь, как я к тебе отношусь. И не только на сцене.

— Наступило время доказать! Да, пусть спектакль провалится. Ты же поддержишь меня? Что тебе до Насти?

Николай Еремеевич посмотрел на Аграфену.

— Ну что вот мне с ней делать?

— Я — пас! Я бы просто ушла. Но я не Татьяна. Вернее, Татьяна — не я. Но если честно, то мне будет не жалко Эдуарда, если его спектакль провалится. Нехорошо он поступает с людьми, очень нехорошо... Но вы не подумали, что кроме нас, обиженных, в этой истории есть еще и другие артисты труппы. Они пострадают ни за что...

— На войне всегда бывают потери, — резко оборвала ее Ветрова, давая понять, что, несмотря на свой

миролюбивый и игривый вид, она объявила предавшему ее любовнику войну. И на эту войну она собралась, почистив все свои перышки и нанеся боевой раскрас.

Груня пожала плечами. Она знала: самое неблагодарное дело в их труппе — спорить с Ветровой, которую называли не иначе как «махина» или «бездушная машина». А еще Аграфена прекрасно понимала, что Татьяна, наверняка по молодости, да и сейчас, если бы представился шанс, оказалась бы не лучше Насти. Такова уж актерская жизнь — кто кого.

Их милая беседа прервалась, так как в поле их зрения появился большой серебряный поднос, который завис над круглым столом, словно инопланетный корабль. На нем стояли серебряное же ведерко со льдом, завораживающе поблескивающее при электрическом освещении, и хрустальные бокалы, просто переливающиеся от игры света на гранях. Единственным цветовым пятном в этом светлом натюрморте было торчащее из ведерка темно-зеленое горлышко бутылки шампанского, обернут фольгой. Этакая красавица королева в роскошном убранстве и в окружении верных подданных.

Николай Еремеевич сглотнул.

— Нам еще таких... три.

— Он не понял, — пряча улыбку, перевела слова удивленного официанта Груня. — Обычно заказывают следующую бутылку после того, как выпивают предыдущую.

— Что тут непонятного? — Николай Еремеевич оттянул бабочку, а затем вернул «насекомое» на место. — А я вот хочу сразу. Вдруг закончатся?

— Он принесет, — успокоила его Аграфена.

Официант, несколько озадаченный, удалился, а сидящие за столом снова посмотрели друг на друга.

— Мы похожи на группу заговорщиков, которые замышляют дворцовый переворот, — поежилась Груня. — По-моему, по нашим лицам это сразу заметно.

— Ты никогда в подобном не участвовала? — поинтересовалась Татьяна.

— Нет, — покачала головой Аграфена.

— Но ты с нами или против нас? — зыркнула на нее Ветрова.

— А нейтралитет можно держать? — попыталась было вывернуться художница.

Но не тут-то было.

— Нет! — хором ответили Николай и Татьяна.

— С вами я, с вами! — подняла обе руки Груша, сдаваясь.

— Можешь мне ничего не говорить, Таня, я сам знаю, что должен сделать, — задумчиво произнес Николай Еремеевич, любуясь своей пассией.

— А я и это знаю. Ты умный. Ты — мужчина только с двумя недостатками из ста, — оценила его Ветрова.

— Вот как? Озвучь их, — попросил ведущий актер.

— Пьющий — раз, — загнула палец с красным маникюром его бывшая партнерша.

— А два? — спросил Николай Еремеевич, моментально согласившись с пунктом номер один.

— То, что я не люблю тебя. Извини, на данный процесс повлиять насильно нельзя, — честно ответила Татьяна.

Николай Еремеевич рассмеялся:

Зачем коту копыта?

— Вот за что я особенно люблю тебя, так это за прямоту. Выпьем, девочки, за нас! За неудачников!

Груня вместе с ними подняла бокал и выпила, окрепнув в своей мысли, что она здесь явно третий лишний. Зря она пошла в ресторан. Но опять-таки, попробуй откажи Ветровой... Внезапно ей в голову пришла одна мысль.

— Коля, а что ты имел в виду, когда говорил, будто Марк, завещавший свой театр именно Эдуарду, чем-то отплатил ему, вернул, что должен?

Николай Еремеевич чуть не подавился.

— Хм, запомнила...

— Так у меня в свете последних событий все чувства обострились.

— Давняя история... — Глаза ведущего артиста затуманились воспоминаниями.

— Мне бы хотелось знать, все-таки я оказалась биологической дочерью Марка. Расскажи все, что знаешь, — не сдавалась Груня.

— Да-да, расскажи нам, — поддержала ее Татьяна, — интересно все-таки. Да и сидим хорошо.

— Ну, ладно, только ради этого, — усмехнулся актер, полностью разливая содержимое первой бутылки и многозначительно глядя на официанта. Тот тотчас исчез из поля их зрения. А через минуту над столиком завис новый «инопланетный корабль». Теперь уже с тремя ведерками.

— Я сам открою! — вызвался Николай Еремеевич. И запнулся: — Ой!

Груня проследила за его взглядом и покраснела. Перед ними стоял Вилли.

203

— Можно к вам присоединиться? — спросил хозяин отеля.

Татьяна встретила его весьма бурно:

— Ой, Виллечка! Да, конечно, о чем разговор? Всегда вам рады! Вот и Груня не будет себя стесненно чувствовать, нас теперь две пары.

— Какие две пары?! — возмутилась Груша, хотя щеки ее предательски пылали. Вилли появился ну очень уж неожиданно. Видимо, научился делать сюрпризы от ее друзей.

Владелец отеля сам открыл шампанское, разлил по бокалам и сел за стол.

— Ну, что замолчали? Что скажете? Вас, Татьяна, просто не узнать! — обратился он к присутствующим.

— Спасибо! — величественно кивнула актриса.

— Сначала ты должен сказать, — произнесла с некоторой обидой Аграфена.

— Что именно? — Лучистые синие глаза Вилли улыбались.

— Агент 007, Джеймс... Бонд, это, наверное, ты, раз никто не может узнать, где ты находишься и что делаешь? — пояснила она свою претензию.

— Я летал в Париж. Туда и обратно, по работе.

— Во дает! — ахнула Татьяна и добавила: — Мог бы и Груню прокатить с ветерком.

— Мне нужно было попасть на репетицию спектакля по моей пьесе, и я сразу назад. Когда поеду с романтическим настроением и с большим запасом свободного времени, первой, кому я предложу полететь со мной, будет Груня, обещаю, — улыбнулся актрисе Вилли. И повернулся к Аграфене: — Вижу, гнев твой ослаб, моя прекрасная леди? В меня

не летят ножи и вилки... Судя по всему, ты узнала правду.

— Если ты не прекратишь со мной разговаривать таким тоном, получишь в глаз, — совершенно спокойно заявила Груня.

— А ведь я тебе верю! — покачал головой Вилли, снова улыбаясь.

— И тебя такая перспектива радует? — Реакция мужчины ее немного удивила.

— Если это сексуальная игра, то да! Или та игра, которая в конечном итоге приведет к сексу. Мне все равно, в какой последовательности это произойдет, главное, чтобы произошло.

— А если я дам во второй глаз?

— Ребята, я понимаю, что вы застоялись и соскучились, но мы вам не мешаем? — вклинилась в их перепалку Татьяна. — Вилли, только что Николай хотел рассказать о том, чем Марк был обязан нашему сластолюбцу Эдуарду, раз даже театр ему отдал. И я все еще хочу это узнать...

— Я вся — внимание! — отвлеклась от Вилли Груня, еще переживая, вернее, с его появлением особенно остро почувствовав, что одета не нарядно.

Николай Еремеевич кашлянул, отставил в сторону вторую пустую бутылку и приступил к повествованию.

— Мы же — я, Марк, Колобов — все примерно одного возраста, плюс-минус пару лет, но учились на разных факультетах, на разных курсах. Друзьями не были, но бывали в одних компаниях, какая-то информация, слухи доходили. Еще на первом курсе наш Эдуард Эрикович закрутил любовь со своей однокурс-

205

ницей Ольгой Орловой. Это была даже не любовь, а всепоглощающая страсть, просто сгусток энергии, который поглотил их обоих. Видели бы вы тогда Эдика! Красавец-мужчина, вернее, тогда еще парень — высокий, широкоплечий, прямо-таки с печатью на лбу — «генетически годный для продолжения рода экземпляр». Этакий самец, мачо.

— Много ты понимаешь... — фыркнула Татьяна. — Хотя... Эдуард на самом деле гениальный любовник, а это тоже талант... То есть его внешность самца вовсе не обманчива, я хочу сказать.

— Талант... — теперь презрительно фыркнул Николай Еремеевич.

— Да, талант, — повторила Таня с видом человека, который знает, о чем говорит.

— Хорошо, данный момент я пропускаю, — сдался Николай Еремеевич.

— Конечно, ты же проверила на себе, — прыснула со смеха Груня. — Извините!

Официант, появившийся очень вовремя, принес заказанные блюда и вопросительно посмотрел на Вилли.

Тот попросил сырную тарелку, и официант удалился с явным непониманием в глазах, что его шеф делает в компании этих странных людей, которые пришли вроде как приличные люди, а шампанское пьют, как компот.

— Одним сыром сыт не будешь, настоящему мужику мясо надо или рыбу хотя бы... — с подозрением посмотрела на Вилли Татьяна. — Ох, я бы уже давно на твоем месте, Груня, переспала с ним, чтобы оценить, соответствует ли его внешность ожиданиям, совпадет ли, как в случае с Эдуардом.

Зачем коту копыта?

Вилли подавился шампанским и закашлялся.

— Коля, стукни его! — быстро скомандовала Ветрова.

— За что?

— Я имею в виду тресни как следует по спине. — Актриса покачала головой: — Что за непонятливость!

— Спасибо, не надо, я в порядке, — быстро откликнулся Вилли. — Я внимательно слушаю ваш рассказ, Николай Еремеевич.

— О чем? — невинно моргая, спросил тот.

— Как о чем?

— Вот-вот, с алкоголиками всегда так, — вздохнула Таня. — То одно и то же сто раз повторяют, то забывают все. Об Эдике мы говорили! — напомнила она бедолаге с краснеющим просто на глазах лицом.

— А! Ну так бы и сказали. Какое мясо вкусное! Очень свежее! Недавно прыгало еще...

— Кто? — не поняла Аграфена.

— Из кого мясо, — пояснил Николай.

— Телятина, — посмотрел на блюдо Вилли, — не прыгает.

— Маленького теленочка, шедшего за мамкой, убили?! Негодники! И все в угоду своей утробе! — ахнула Таня и тут же рассмеялась, увидав реакцию Вилли. — Извини, шучу. Давайте выпьем за премьеру!

— С удовольствием, — ответил хозяин отеля.

Сказано — сделано. И Николай продолжил, слегка наклонившись влево, к бюсту Татьяны, то есть отклонившись от основной оси.

— Так вот... Эдуарда всегда было очень много. Такой яркий, в центре внимания, шумный, громкий, скандальный, любвеобильный... В общем, фасад удал-

ся, а вот с данными режиссера, по профессиональному таланту, был напряг. То есть Эдик был неплох, но хотел быть звездой, а до «звезды» не дотягивал. И очень злился по этому поводу. Звездой же в их дуэте была Олечка Орлова. Вроде тихая, внешне даже невзрачная девушка, а, выходя на сцену, так открывалась, так играла, что сносила зрителям крышу. Люди забывали, что находятся в театре, сопереживали ей, сочувствовали. Ольга Орлова — вот это была силища таланта!

— Подумаешь... — фыркнула Татьяна, с остервенением отрезая от торта большой кусок и запихивая его в рот. Ей явно не нравилось, что в ее присутствии говорят о другой женщине, да еще с таким неподдельным восторгом.

— Давно это было, плохо уже помню ее рожу, но отлично запомнил свое ощущение — ее игра была очень сильной. Такие горящие глаза, проникновенный голос...

— Почему же мы не узнали о таком таланте? — удивилась Груня, наслаждавшаяся вкусом своего блюда. — Я имею в виду, куда она делась?

— А вот это хороший вопрос, — улыбнулся улыбкой Мефистофеля Николай Еремеевич.

Если отель был на пять звезд, то кухня на все десять. Вилли принесли сырную тарелку, явно дорогих, элитных сыров, вперемежку с орехами, фруктами, с листочками мяты и с каким-то соусом. И Татьяна тут же залезла к нему в тарелку, стащила один из кусочков — насыщенно желтого цвета, с крупными дырками.

— Мой любимый сорт, — пояснила она. — Коля, не спи, продолжай! Что ты еще знаешь?

— Сейчас расскажу, — ответил Николай Еремеевич и вздохнул, разливая всем шампанского.

Груне стало очень смешно. Художница не была ценительницей вин и других алкогольных напитков, но прекрасно понимала, что шампанское, которое им подали, очень-очень хорошее, из какой-то коллекции, и стоит бешеные деньги. Наверняка посетители ресторана брали одну бутылочку по особому случаю и смаковали напиток часами... Николай же Еремеевич разливал его, словно это была минеральная вода, и выпивал абсолютно залпом, явно не ощущая особого вкуса.

— И вот омрачилась любовь у Ольги и Эдуарда, наткнулась на гордыню Колобова, — продолжил он почему-то в стиле русской народной сказки. — Не каждый мужчина вынесет, что его женщина талантливей и лучше, чем он. Что все ей рукоплещут, на каждом шагу говорят: она — талант и звезда, а тебе лишь пожимают руку. И Эдуард крепко запил, ушел в себя, даже чуть в академический отпуск не загремел, на последних-то курсах... Но сначала он расстался с Ольгой, резко так с ней порвал и остался один. По правде сказать, когда рядом с ним не горела ее звезда, Эдик смотрелся ярче. Что есть, то есть.

— А Ольга что? — Кусок парфе с шоколадом выпал изо рта Татьяны.

— Она не смогла восстановиться после расставания с ним. Просто угасла, исчезла. Говорили, что у нее депрессия. В общем, Ольга плохо кончила — сошлась с каким-то сомнительным типом, и они, выпивши, куда-то поехали на машине и разбились.

— Насмерть?! — ахнула Груня.

— Да. Говорили, когда Эдуарду о ее смерти сообщили, он неделю из комнаты не выходил. А потом появился перед всеми с улыбкой и заявил, что забыл ее. Мол, все равно это была не его женщина, и даже хорошо, что так получилось и ему не придется с ней случайно встретиться. А еще поклялся, что не свяжется больше ни с одной талантливой женщиной, более значимой, чем он сам. Его девиз — жена должна быть под мужем! Извини, Таня. — Николай Еремеевич снова занялся своим куском мяса.

— Зачем ты передо мной извиняешься? — удивилась Ветрова. — Думаешь, Эдик всю жизнь любит свою Олю? Сомневаюсь. Не замечала за ним особой любви к одной женщине. О его отношениях с Ольгой я слышала, но считала слухи красивой легендой. Когда-то он избавился от нее, сейчас так же легко избавился от меня. Поэтому, уже в свете последних событий, можно предположить, что это была не легенда, а правда. Любит Колобов только себя и свои амбиции, часто пустые и ничем не подкрепленные. Постой! А может, ты намекаешь, что я — не талантливая и не яркая, раз он со мной потом жил?

— Мы еще ни слова не услышали о Марке, — напомнила Аграфена, чтобы сменить тему.

— Ах, да! Сейчас выпьем, и я дорасскажу... — кивнул Николай Еремеевич и снова наполнил бокалы. — Так вот, Эдуард после смерти Ольги словно с цепи сорвался, менял женщину за женщиной.

— Удивил! — воскликнула Татьяна, налегая на клубнику с таким аппетитом, что и Груне захотелось десерта.

Зачем коту копыта?

— У Марка была в то время девушка, в которую он был сильно влюблен, а Эдуард увел ее от него.

— Да чего у каждого из нас в молодости не было! Чего вспоминать? — дернула плечиком Ветрова. — Я тоже парней меняла как перчатки. А уж что в театральных общагах творилось... Просто большая шведская семья.

— Но именно этот не очень хороший поступок Эдуарда и сподвигнул Марка на месть.

— Друзья мои, вам заказать еще что-то? — вмешался Вилли. — Я все оплачу.

— Оплатишь? — оживилась актриса. — Тогда мне бы вот такой же кусочек мясца, а то от сладкого уже плохо.

Вилли кивнул официанту, и тот приблизился к столику.

— А мне бы каких-нибудь деликатесов, — крякнул Николай Еремеевич. — Икра, омары, фуа-гра...

— Ты не лопнешь? — попыталась осадить его Аграфена.

— Я постараюсь выдержать такое пиршество один раз в жизни за чужой счет. Просто обязан выдержать, — возразил ведущий артист.

— Заказывайте что хотите! — подтвердил Вилли. — Главное, чтобы во вред не пошло.

— Хороший ты мужик, Вилли! — восхитился Николай Еремеевич. — И бабу выбрал хорошую. Таких, как Груня, больше нет.

— Я это понял, — улыбнулся хозяин отеля.

— Что ты несешь, Николай? — возмутилась Аграфена. — Не можешь пить — не пей! Началось опять...

— Не отвлекайся, Коля. Досказывай уже свою историю, а то сейчас напьешься и под стол свалишься. Я-то тебя хорошо знаю! — усмехнулась Ветрова.

— Зачем ты меня обижаешь? Пришла на свидание, так веди себя прилично! — надулся Николай Еремеевич, но свое повествование продолжил: — Дело происходило во времена глубокого партийного засилья. И вот нас как молодежный театр по какому-то творческому обмену и прочей чепухе послали в Европу с патриотическими спектаклями. Тогда нам, безденежным и ничего еще в жизни не видевшим студентам, только так и можно было попасть за границу. Мы были просто счастливы и безумно рады... А давайте выпьем за наши счастливые студенческие годы! Пусть они у нас были разные, но мы были молодыми, влюбленными и легкими в общении и на подъем. — Ведущий актер труппы поднял бокал, который уже заметно трясся в его руке, призывно глядя на Татьяну.

Та недовольно скривила лицо и закатила глаза.

— Нет, так он нам и до утра свою историю не расскажет!

— Дальше я только со слов и со слухов... Я с ними не ездил, меня не пустили за систематические прогулы. Я ведь смолоду уже увлекался, — сделал характерный жест, щелкнув себя пальцем по шее, раскрасневшийся Николай Еремеевич. — Посчитали меня неблагонадежным. Мол, еще опозорит Советский Союз пьющий комсомолец!

— Все понятно! — осадила его Таня. — Между прочим, окружающие страдают от твоего алкоголизма, и только ты им наслаждаешься, причем, как выяснилось, еще с молодости.

— Да, я научился с этим жить и работать! — с вызовом ответил Николай. — И еще как работать! Я же всегда с огоньком на сцене, с душой, с творческим подходом и энтузиазмом, а вы, трезвые, вечно сонные.

На последней фразе актер махнул рукой и перевернул блюдо в руках официанта, который в тот момент приблизился к столу с десертами. Раздался грохот, который привлек всеобщее внимание. Всю яркую красоту десертов сотрапезники смогли оценить, увидев их на белоснежном пиджаке Вилли, несколько неудачно оказавшегося на пути падения пищи, а также на униформе официанта. Взбитые сливки сдобрили голову Николая Еремеевича, кое-где десерт аппетитными каплями украсил одежду дам.

— Извините, — выдавил из себя, сразу снизив тон, разбушевавшийся актер.

— Идиот, так я и знала... Ой, мое платье! Разве почувствуешь себя королевой в обществе свиньи? — выкрикнула Татьяна.

— Не стоит беспокоиться! — в один голос ответили Вилли и официант.

Тут же прибежали девушки-официантки и принялись за быструю уборку стола, пола и того, что можно было безболезненно снять с одежды гостей ресторана и его же хозяина.

— Повторите все, — между тем попросил Вилли, элегантно сбросив с плеч своего пиджака кусочки десерта.

Татьяна, смилостивившись, принялась снимать хлопья сливок с головы Николая Еремеевича, приговаривая:

— Ничего, это полезно для волос. А то вон плешь уже просматривается.

— Какая плешь? Нет у меня никакой плеши! Я... — взвился ведущий актер.

— «Я... я...» Только и слышу! Как же вы все, мужики, любите себя! — возмутилась Таня. — Когда я ходила с перекошенным лицом, меня одна Груня и жалела.

— Ой, кстати, вот вы в чем изменились!! — вдруг сообразил Вилли. — А я-то все гляжу на вас и думаю — что не так?

— Ты только посмотри на него, Грушечка! Он только сейчас понял! Ох уж эти мужчины... Я всегда говорю: хоть противогаз надень, они и то не заметят, что изменилось что-то!

Им принесли еще бумажных салфеток и поменяли скатерть.

Николай Еремеевич дрожащей рукой наполнил бокалы, стараясь не смотреть на Таню, и, прокашлявшись, продолжил рассказ:

— И вот попали наши глупые молодые студенты не в какую-то там Польшу или ГДР, а поехали сразу в одну из самых развитых капиталистических стран — в Англию. Представляете, как может в Лондоне снести крышу у людей, которые дальше Евпатории в общем вагоне не ездили? Вот ребята и опьянели от изобилия и свободы. А попали они в театр ее величества королевы Англии. Играли исторический спектакль про Россию, про Ивана Грозного. На спектакль пришла сама королева Англии при полном параде. Она же известная театралка. Ее величеству очень понравилась игра молодых русских артистов, однако бедность декораций и костюмов королеву удивила. И вот во

дворец был приглашен Эдуард, режиссер труппы. Там в торжественной обстановке ему вручили национальную ценность — корону из платины и бриллиантов, чтобы в ней сыграл последний, заключительный спектакль актер, исполнявший роль государя.

— Подождите! — перебила рассказчика удивленная Аграфена. — Какая Англия? Какая королева? Мне Эдуард Эрикович, когда уговаривал ехать с труппой, сказал, что они с Марком были в Париже.

Николай Еремеевич только отмахнулся, мол, Эдик соврет — не дорого возьмет, и продолжил свою историю:

— Корону водрузили в специальный переносной контейнер и доставили в королевский театр. Спектакль шел на «ура». Еще бы! Бриллианты сверкали, актер, на голове которого был этот венец, играл великолепно, словно ему передалась часть энергии монархов Англии, впитанная короной. В зале присутствовала охрана, с драгоценной реликвии не сводили глаз. После спектакля венец был так же запакован, убран в сейф, а затем доставлен обратно во дворец. А дальше... Не могу сказать точно, сразу же обнаружили пропажу или прошло некоторое время, но это произошло. Вместо короны из платины, золота и алмазов с антикварной огранкой в контейнере оказалась потертая бутафорская шапка Мономаха с весьма выцветшим лисьим мехом, искусственными камнями и медным покосившимся крестиком на макушке. Именно в ней потело много актерских голов, когда ставился этот спектакль, и запах от шапки шел пренеприятный. Скандал случился грандиознейший! Представляете? Корона, с которой не спускали глаз, исчезла. Артистов допрашивали и обыскивали сутками, задействованы были и наша, и их разведка, но ничего не нашли. Совсем! Ни одного следа, ни одной улики! Корона словно растворилась в воздухе! В конце концов группу отпустили.

— Захватывающая история, — покачала головой Аграфена.

— Значит, корону украли? — уточнил Вилли.

— Невероятная прозорливость! — хмыкнул Николай Еремеевич как раз тогда, когда повторно принесли потрясающие блюда десертного толка и еще кое-что из еды.

— Так и не нашли реликвию-то? — спросила Татьяна, в которой всегда чувствовались коммерческая жилка и материальный подход.

— Я не дорассказал. Конечно, Советский Союз что-то заплатил Англии в качестве компенсации, но репутация была сильно подмочена. Последствия международного скандала такого размера дипломатам пришлось еще долго расхлебывать. Но это я так, к слову. Вопрос в другом. Сразу, как группу отпустили, Марк исчез.

— Что значит — исчез? — поднял голову задумавшийся Вилли.

— Попросил политического убежища, предал, сбежал, — пояснил Николай Еремеевич. — Подобные случаи бывали. Уже в Союзе всех наших повязали снова и прямо затаскали по допросам. Эдика, который был старшим в группе и которому под его личную ответственность дали корону, посадили.

— Эдуард Эрикович сидел? — удивилась Груня. Я не знала.

Зачем коту копыта?

— Ему дали много, лет восемь. Но выпустили после половины срока — то ли ветер поменялся, то ли заступился за него кто, а может, за примерное поведение. Вышел Эдуард другим человеком. Его никто никуда не брал после такой истории. Потом он сам, уже будучи в возрасте, организовал этот театр. Короче, если бы не тюрьма ни за что, совсем иначе жизнь у Эдика сложилась бы, с его-то пусть и не сверхталантом, зато с пробивной способностью, — закончил интригующий рассказ Николай Еремеевич.

Воцарилась пауза, во время которой каждый слушатель подумал о чем-то своем.

— Ты намекаешь, что корону украл мой, извините, отец? То есть Марк? — первой нарушила молчание Аграфена.

Татьяна присвистнула, даже отложила клубнику, которую намеревалась отправить в рот.

— Заметьте, не я это сказал! — сразу же откликнулся ведущий артист труппы и рассказчик Николай Еремеевич. — Повторяю для плохо слышащих: Марк был вместе со всеми в том королевском театре и прошел обыски и допросы вместе со всеми. Ни тени сомнения в его виновности не возникло ни у кого, иначе бы ему не вырваться из рук английских полицейских. Ни те-ни! А вот когда он так резко принял решение остаться на Западе, именно после пропажи короны... Поговаривали, что Марк обеспечил себе хорошую материальную платформу для жизни за границей. Почему-то так все и думали — что он ее украл. Ведь провезти ее через границу точно бы не смог, зато припрятать в Англии...

— Получается, Марк просто агент 007! — вступил в разговор Вилли. — Все спецслужбы искали и не нашли, он сумел спрятать реликвию и, кроме того, не выдать себя ничем.

— Жить захочешь — сделаешь! — пожал плечами актер. — Корона же тянула на миллион долларов.

— Ого! Огромные деньги! — воскликнула Аграфена. — Не понятно только, куда он ее дел и почему жил бедно. С такими-то деньгами!

— Такую кражу можно внести в Книгу рекордов Гиннесса... как самое неудачное ограбление, — сказал Вилли.

— Почему? — удивилась Груня.

— Одно дело украсть деньги, пусть и много, или драгоценности, даже антикварные, и совсем другое — умыкнуть английскую корону. Куда ты с ней потом пойдешь? Кому ты ее продашь? К тому же такие преступления не списываются за давностью лет. Ведь обворовано не частное лицо, а государство. Корона же — историческая и материальная ценность Англии.

Аграфена даже заслушалась его.

— Ты так говоришь, словно сам лично знаешь толк в кражах. Когда мне надо будет что-то свистнуть, я обязательно с тобой посоветуюсь, — сказала Татьяна, словно прочитав мысли Груни.

— Но Вилли прав. Получился бред какой-то. Если действительно именно Марк украл корону, то потом он жил в нищете, надеясь, что когда-нибудь сможет ее выгодно продать и зажить богато, — поделился своими мыслями Николай Еремеевич.

— А Марк был беден, особенно в последние годы, я свидетель, — поддержал актера Вилли.

— О том, что Эдик отсидел в тюрьме за его выкрутасы, Марк не мог не знать. У них оставалось много общих знакомых. Может, он и не хотел столь сурового мщения своему другу, но так получилось... Наверное, все эти годы Марк чувствовал за собой вину, поэтому и оставил Колобову свой театр, — вздохнул Николай Еремеевич.

— Но ведь корону так и не нашли, — напомнила Татьяна, — если все-таки предположить, что она у Марка была.

— Не нашли, — подтвердил ведущий артист труппы.

Ветрова с подозрением посмотрела на Вилли.

— А ты ведь провел с ним последние годы... И ты такой богатый...

Хозяин отеля даже покраснел, и ему это шло, как отметила Груня. Впервые он не выглядел столь бледным.

— Я? Да. И Марк жил у меня. Но про какую-то корону я услышал впервые только сейчас.

— А кто тебе поверит? Небось за реликвию и приютил старика? — продолжала Таня с видом и тоном следователя.

Аграфена не выдержала и рассмеялась.

— Да она шутит! Издевается над тобой! Это же — актеры!

Вилли вытер лоб салфеткой.

— Меня еще никто не обвинял в корысти. Я имею состояние больше стоимости любой короны в несколько раз. Она мне не нужна, честное слово.

— Ладно, верим. Стопроцентно ведь не доказано, что ее стибрил Марк, — отмахнулась Татьяна.

— То, что он театр отдал Эдику, пострадавшему в той мутной истории, как раз косвенно доказывает,

что Марк виноват и корона была у него, — не согласился Николай Еремеевич. И подмигнул Тане, своей давнишней подруге: — Но что характерно: парень-то заволновался!

— Он не по этой части! — вступилась за Вилли Груня. — Вот если у кого надо вызвать ревность, подтвердить, что спал ночью с одной женщиной, а вчера спал с другой, то это к Вилли. Таким способом, на спор, можно сколотить неплохое состояние.

Татьяна захихикала. А Николай Еремеевич пробубнил:

— Не будь злобной стервой... Давайте — за нас, за прекрасный вечер!

— Давайте! Чин-чин!

— А я вот все же думаю выполнить последнюю просьбу Марка. А то, смотрю, грехов на нем — хоть отбавляй! — вздохнула Груня. — Чтобы душа его не мучилась, написать портреты его пожилых родственников, раз уж он так того хотел.

Вилли резко поперхнулся шампанским, и Таня кинулась к нему на помощь. Поколотить кого-то по спине было для нее сущим удовольствием. На сей раз она уже Николая Еремеевича просить не стала, сама постаралась.

— Ты чего? — спросила его удивленная Груша.

— Так, ничего... Небольшая проблема — родственники-то уже давно похоронены. Они умерли друг за другом от старости, ненадолго пережив друг друга.

— Я знаю, ты говорил, — кивнула Аграфена. — Ну и что?

— Ты не знаешь самого интересного: у меня нет их фотографий. Остались только изображения на памят-

никах. Так что я не знаю, с чего ты станешь свои портреты писать.

Все замолчали. А потом Николай Еремеевич разразился громким хохотом — не совсем нормальным смехом пьяного человека.

— Вот подвезло нашей Груне! Прямо «Этюд в багровых тонах»... Придешь на кладбище с мольбертом и будешь писать пейзажик с натуры. Обстановочка замечательная, спокойная. Сядешь на пригорочке и работай себе. Хорошо! Свежий воздух, могильные плиты...

Аграфена с неприязнью посмотрела на его улыбающееся лицо и надулась.

— Тоже мне проблема! Я сфотографирую и напишу дома.

— Нет, лучше с натуры! — не унимался артист. — Только там ты поймаешь нужное вдохновение!

Дальнейший ужин прошел без происшествий. Николай Еремеевич, правда, закончил его в своем репертуаре — уснул, упав лицом в тарелку. Но с помощью Вилли и обслуживающего персонала был отбуксирован в свой номер.

Глава 19

Аграфена пребывала в каком-то нервном возбуждении уже с утра. Ее просто трясло и колотило. Вилли сразу это заметил. Ночевали они в его апартаментах. В разных комнатах, естественно. Ни веселые истории хозяина отеля на завтрак, ни сам великолепный завтрак, ни прекрасная погода не могли вывести художницу из задумчивости и какого-то нервного, томительного ожидания.

— Думаешь о премьере? — догадался Вилли.

— Вот чувствую — что-то будет. Скандал какой-нибудь грандиозный. И завтра мы все с позором вылетим отсюда.

— Меня другое волнует, — хмуро повесил голову Вилли. — Понимаешь, билеты не продались. Кто вообще будет взирать на триумф или позор труппы? Подвел меня один человек — пообещал, что все возьмет под контроль, чтобы я не волновался. А сегодня заявил: не взяли билеты.

— И что делать?

222

— Я обещал — я сделаю. Сейчас поеду в одно благотворительное общество и подарю их подопечным билеты, чтобы только пришли. Но пусть это останется между нами!

— Само собой. Но про баснословные гонорары, конечно, придется забыть, — уточнила Аграфена.

— Я лично оплачу билеты, и это тоже между нами... Только сейчас я вынужден уйти, чтобы успеть все к вечеру. Ты останешься одна. Ничего?

— Конечно, ничего. Ты же уходишь ради благого дела. Вообще, Вилли, спасибо тебе большое за все, что ты делаешь для нас. А ведь совершенно не обязан возиться с нами.

— Больших хлопот ваша труппа мне не доставляет. А ты, Груня, самая удивительная женщина, что я видел. И ради тебя...

Глаза мужчины как-то странно загорелись, и Аграфена почему-то испугалась, что он ее сейчас поцелует. А также испугалась за себя. Потому что чувствовала, как ее к этому мужчине тянет. Ох, какая у нее случится реакция после стольких лет «застоя» в объятиях такого красавца... Поэтому Груня шарахнулась от Вилли.

— Извини... — огорчился тот.

— Ничего... Это ты меня прости. Как-то все быстро, я не готова...

— Понимаю. Я готов ждать, сколько тебе потребуется, — ответил он ей совершенно серьезно.

Груша улыбнулась.

— С тобой всегда так надежно?

— Думаю, что-то переосмыслил в последнее время. А в молодости сам на себя не положился бы...

— Вилли, а пока тебя не будет, я могу съездить на кладбище? Хочу посмотреть на то, что мне уготовано написать?

— Ты и правда намерена это сделать? — удивился Вилли.

— Ну, не знаю, что и сказать. Просьба Марка странная, и вообще все происходящее странно... Только дай мне в сопровождающие кого-нибудь русскоговорящего.

— Хорошо, Груня, как скажешь. Тебя отвезет один из моих подручных по отелю, Дилан. Он будет на черной «Ауди» перед входом в отель. Только прошу тебя — без глупостей. Будь осторожна и, если что, сразу звони мне.

— Хорошо, Вилли. А...

— Да?

— Скажи, а почему ты так помогал Марку в последние годы? Ведь он для тебя был чужим человеком.

— Я так не считаю. Говорил уже: его любила моя мама, он был неплохим отчимом. К тому же я вообще не привык отказывать людям, нуждающимся в помощи.

— Это я знаю! Мы всей труппой сидим у тебя на шее и прекрасно себя чувствуем, — усмехнулась Груня и пошла собираться.

Когда она вышла из ванной, Вилли уже не было. Художница надела удобные широкие штаны цвета спелой вишни и светлую кружевную кофточку. Волосы собрала заколкой, а затем обулась в удобные белые туфли. Именно так — не вычурно, скромно одетые, решила она, люди и ходят на кладбище.

Черная «Ауди» ее действительно уже ждала, а Дилан оказался молодым, симпатичным парнем с вьющи-

мися волосами и голубыми глазами. По-русски он говорил очень хорошо, с милым легким акцентом.

— Доброе утро, — приветствовал ее с улыбкой Дилан. — Такая красивая девушка, а отвезти ее надо на кладбище... Садитесь, я на весь день к вашим услугам, так велел Вилли.

— Нам далеко ехать? — спросила она, усаживаясь рядом.

— Минут десять. Тут и пешком можно, но уж доедем с ветерком.

До кладбища доехали и с ветерком, и действительно быстро.

— Пойдем, покажу то, что надо. Вилли ввел меня в курс дела, — сказал Дилан, помогая Груне выйти из машины.

Шагая по аллее, она поймала себя на мысли, что на русских кладбищах почему-то бывает жутко. Погосты обычно расположены на отшибе или на окраине, или где-то в лесу, словно люди подсознательно разделяют мир живых от мира мертвых. На Западе, у католиков, часто кладбище располагается вокруг действующего костела и порой прямо посреди города или поселка. Люди могут навестить своих усопших родственников и знакомых, а затем посидеть на службе, поставить свечку. Здесь нет ужасающих разномастных оград вокруг каждого клочка земли, а просто идут могилки в ряд с крестами и фигурками ангелов. И всегда здесь растут живые или стоят в вазах свежие цветы, а не искусственные, как у нас, раскрашенные в кошмарные ядовитые цвета.

Последнее всегда воспринималось Груней как какая-то насмешка. Мол, извините, тетя, часто мы вас наве-

щать не сможем, а могилку вроде как украсить надо, цветочки должны быть. И вот прекрасный выход — искусственные цветы! Что может более по-идиотски выглядеть на заросшей могиле или на грязно-сером снегу? Только эти синие незабудки да окрашивающие снег красными пятнами пластмассовые тюльпаны. На западных кладбищах всегда ведется общая уборка территории, поэтому впечатление от могил складывается, так сказать, равномерное. У нас же, получается, платят бешеные деньги, чтобы зарыть и забыть, по-настоящему редко кто ухаживает за местом погребения. На наших кладбищах частенько увидишь огромные неухоженные деревья, при каждом дуновении ветра зло шелестящие ветвями, словно ругаясь, что их покой нарушили. Здесь же выше милых, пушистых хвойников, как правило, ничего не растет.

И еще. Как правило, на могилах католиков нет фотографий. Возможно, это правильно? Люди остаются в памяти близких такими, какими были, какими их хотели запомнить. А на том свете внешность уже не имеет значения. На наших же кладбищах везде фотографии, и от этого становится еще более жутко. Ведь все, кто их видит, понимают: эти люди умерли, со снимков на живых смотрят сотни мертвецов. Неприятно, что уж говорить.

Марк был русским, поэтому на могилках его тети и дяди красовались фотографии на русский манер. Здесь таких могил было мало.

— Вот, — остановился Дилан, — Софья Павловна и Аркадий Михайлович. А вот и Марк Тарасов.

— Его с ними рядом похоронили? — спросила Груня, испытывая внутренний трепет.

— Ну а куда же? Другой родни у него не было. Вилли и похоронил здесь.

— Что ж, и правильно.

Груня присела на маленькую каменную скамейку и посмотрела на фотографии родственников Марка. Сразу чувствовалось, что это были интеллигентные и умные люди. Такие благородные лица, глаза... Окладистая бородка у Аркадия Михайловича и строгая прическа, волосок к волоску, у Софьи Павловны. Такая милая супружеская пара...

— Хорошие люди были, — словно прочитал ее мысли Дилан. — А вы ведь дочка Марка? Ходили слухи в отеле...

— Вроде да. Только я его даже не видела ни разу, — вздохнула Груня.

Дилан сел рядом.

— Бывает. Марк прикольный был... А сюда вам зачем понадобилось? Хотя что я спрашиваю? Все-таки могила отца.

— Марк оставил завещание, чтобы я написала портреты его родственников, — доверилась сопровождающему Груня.

Парень присвистнул.

— Серьезно? Странное пожелание.

— Можно я здесь останусь? Я тут пока осмотрюсь, освоюсь. Сделаю наброски. А ты приезжай за мной часа через два, — попросила Груня.

— Точно вы одни останетесь? А то Вилли меня потом ругать будет, что оставил вас...

— Всего на два часа!

— Хорошо. У нас вообще-то тут мирно, ничего страшного.

Дилан ушел, а Груша разложила карандаши, ватман на планшете и приступила к эскизам. Она хотела настроиться на нужную волну, прочувствовать этих людей по их фотографиям, чтобы перенести образы на бумагу.

На кладбище и правда было совсем не страшно. Дул ветерок, доносивший аромат трав и цветов, растущих здесь повсюду. Только небо стало вскоре затягиваться тучками, но для Груни это было даже хорошо — не так слепило солнце. Она делала один набросок за другим. Фото на могильной плите, сразу две могильные плиты, вид прямо, вид слегка сбоку... Одно фото и фото на фоне всего окружающего... Аграфена вошла в свой профессиональный ритм. Из таких вот различных набросков она в будущем напишет добротные портреты, сложив все мелкие детали и свои ощущения в единое целое.

Могилы родственников Марка располагались в крайнем ряду, а невдалеке высилась какая-то стела. Груня поднялась со скамейки немного размять ноги и подошла к стеле, на которой было выгравировано множество имен — ровными столбиками.

«Что это? Прямо как братская могила...» — заинтересовалась она. И прочла наверху надпись, что здесь захоронены останки людей, погибших в авиакатастрофе 12 июня 1995 года, пассажиров разбившегося лайнера, летевшего из Мюнхена в Будапешт.

Груня смотрела на ничего, в принципе, не значившие для нее имена и фамилии, и ей стало вдруг плохо.

«Нельзя так на все реагировать, я с ума так сойду, — попыталась художница сама себя привести в чувство. — Но это же уму непостижимо! Столько людей!

Разом! Самолет для них стал братской могилой. А они заходили в него со своими надеждами и чаяниями, они куда-то стремились, с кем-то хотели встретиться... Смеялись, занимали свои места, раскладывали вещи... Их любили, они кому-то были нужны... И закончилось все вот так — урночками с останками в этой стеле». Аграфена даже отошла от стелы на два шага назад, словно та могла затянуть ее в себя. Фатальность ситуации и заключалась именно в том, что ничего изменить нельзя было, ни для кого... И эти люди оказались обречены, а она еще жива, раз не летела рейсом Мюнхен — Будапешт 12 июня 1995 года.

Груня застучала зубами и подумала: «Все-таки кладбища на меня плохо влияют. Дилан был прав, спрашивая, точно ли я хочу здесь оставаться в одиночестве. Все у меня не слава богу: отца узнала уже после его смерти, портреты родственников приходится писать с могильного камня, влюбилась не в кого-нибудь, а в самого красивого на свете мужчину...»

Художница вдруг сообразила, что замерзла не из-за своих опустошающих мыслей — просто погода изменилась. Тучки на голубом небе затянули его окончательно и беспросветно, да и по цвету стали темнее, мрачнее, как будто набухли влагой. Их словно распирало от слез солидарности с чувствами Груни в память погибших 12 июня, очень многие из которых были совсем молоды. Видимо, резкие перемены погоды здесь в порядке вещей. Аграфена могла в том убедиться в день прилета в Венгрию, когда она одинокой, отчаявшейся путницей сбежала по мосту на зеленый остров и попала там под внезапно нагрянувший дождь.

И сейчас слезы захороненных, то есть вырванных из жизни на пике, вылились в самый настоящий дождь. Сначала самые крупные капли прорвали брешь в облаках, сорвались с небес и не упали, а просто-таки шмякнулись на лист с набросками, аккурат на лицо Софьи Павловны, моментально размыв очертания, словно и нарисованная пожилая женщина заплакала, восприняв общее депрессивное состояние, царившее вокруг. Затем капли стали мельче, западали чаще, словно обрадовавшись прорыву в небесной защите. Этакие капли-детки, последовавшие за своими родителями. Они забарабанили куда попало, тяжелые и холодные. Укрыться от них на кладбище с жесткой зеленой травой и весьма окультуренными цветами было негде. Разве только в одиноко возвышающемся костеле посреди территории.

Туда-то Груня и поспешила, быстро собрав свои бумаги и канцелярию. Под конец своего бегства она попала просто под проливной ливень, который буквально застилал глаза.

«Вот ведь стихия! Ужас! Как быстро все изменилось! Интересно, когда Дилан приедет за мной? Надеюсь, догадается побыстрее», — думала Груня, взбегая по грубо, неровно обработанным каменным ступенькам, отполированным поверху тысячами ног, к кованым дверям костела. И вдруг поскользнулась, подвернула ногу и растянулась плашмя прямо перед входом, на некоторое время от боли совсем потеряв ориентацию во времени и пространстве. Конечно же, она благополучно промокла абсолютно до нитки, да еще и окрасила кровью из рассеченной коленки каменные ступени.

Зачем коту копыта?

— Уф! — перевела наконец дух от боли Груша и, совсем ни на что не надеясь, дернула за кольцо железной двери.

И вот тут совершенно неожиданно удача впервые улыбнулась ей — дверь открылась, впуская внутрь костела насквозь промокшую путницу. Хромая и часто дыша от сердцебиения, вызванного болью, Аграфена доковыляла до первой скамейки и растянулась на ней плашмя, тихо скуля. Хорошо хоть в католических храмах есть эти скамейки, иначе бы ей пришлось устроиться прямо на полу. Немного осмотревшись, она нашла в себе силы посмотреть на свою коленку. Та распухала просто на глазах, и ровно по центру ее пересекала глубокая рана. Это она так «удачно» стукнулась об острый край каменной ступеньки, который и распорол кожу, словно ножом.

«Вот ведь черт! Прости, господи...» — подумала Аграфена и попыталась встать. Тут же края раны разошлись, кровотечение усилилось. Художнице стало реально страшно и нехорошо. Она снова легла на скамейку и закрыла глаза — только так унимались кровотечение, головокружение и тошнота. Идти она не могла, перевязать ногу было нечем, и в тишине костела Груня начала соображать, что ей делать дальше.

Просто трагикомедия какая-то! В день провала спектакля русской труппы, на который все билеты купил один-единственный человек, художник-декоратор погибнет странной смертью... Она хотела нарисовать портреты умерших людей, явилась на их могилу в полном одиночестве, поранилась, а теперь истекает кровью в пустом костеле при кладбище... Романтично и глупо, но так и будет. «Может, Дилан сейчас вернется и заберет меня? Возможно, даже успеет довезти меня до больницы, — затеплилась у нее робкая надежда. Но сама же ее и разрушила: — А как парень меня здесь найдет? Посмотрит — на кладбище нет никого. И уедет. Подумает, что я вызвала такси и сбежала, когда пошел дождь. Надо мне все-таки до людей добраться... Ой, а что это меня так сильно трясет? Наверное, от кровопотери и страха. Нет, это нервы. Но чего я так, дуреха, испугалась? Сейчас главное — правильно раздышаться. Раз, два, раз, два... Вдох, выдох... Потом я встану, выйду из костела и побегу... Куда? Куда-нибудь. К людям просить о помощи. Хотя по мне и так будет видно, что мне нужна помощь, я же буду истекать кровью... Стоп! Что за истеричные нотки? Возьми себя в руки, тряпка! Почему другие берут себя в руки в экстренных ситуациях, а я, наоборот, просто размякла вся? Еще и правда тут дуба дам. Подумаешь, ранка на коленке! Вон герои кинофильмов и с ножевыми, и огнестрельными ранениями садятся за руль и едут за помощью...» — уговаривала себя Аграфена как могла, лежа в звенящей тишине. Только дождик стучал по крыше и в мозаичные стекла костела нарушающей спокойствие барабанной дробью.

Именно в этот момент хлопнула дверь — внутрь кто-то вошел. Груша, какая-то напуганная событиями последнего времени, замерла и прислушалась — ее смутили и насторожили довольно странные звуки. Во-первых, по проходу костела явно что-то волокли, а во-вторых, лязгал какой-то механизм. Поэтому она и не подала признаков своего присутствия в храме, наоборот, вытянувшись в струнку, осталась лежать на скамейке, слушая более чем странные звуки, а также стук собственного сердца, бьющий просто в уши. Когда шаги поравнялись с ее скамейкой, Груня даже дышать перестала. Но ноги прошли дальше — ее не заметили. Аграфена, склонившись с лавки вниз головой, посмотрела, что происходит, чуть не загремела на пол, потому что двумя руками зажала себе рот, чтобы не закричать. Она увидела раскинутые руки, словно у распятого человека, дорогой пиджак, окровавленную рубашку и красивое бледное лицо... Вилли. Лицо было совершенно безучастно в данный момент, так как мужчина находился без сознания, хотя и продвигался очень плавно по проходу — ровно с той скоростью, с которой его тащили два каких-то незнакомца.

«Не может быть! — только и мелькнуло в голове художницы. — И правда какой-то несвоевременный день сурка, нескончаемое повторение одного и того же... И что мне делать? Я опять одна, как обычно, без оружия, да еще раненная, а Вилли снова захватили злоумышленники, ему явно нехорошо...»

Груня поняла, что единственное правильное решение для нее в этой ситуации — лежать и не выдавать свое присутствие, пока мысли не соберутся в пучок. Но когда странная процессия отдалилась, она соскользнула на холодный пол и закатилась под скамейку. На случай того, если мужики пойдут назад. Вдруг ей больше не повезет и ее заметят? Лежа под лавкой, дрожа всем телом, словно черепаха под панцирем, Аграфена чутко прислушивалась — ничего другого ей не оставалось.

В костеле было очень тихо и прохладно. Ей был слышен каждый шорох, каждое движение вошедших людей. А те оставались абсолютно немногословны, то есть практически немы. Видимо, знали заранее, что делать. Вот они подключили какой-то механизм, что принесли с собой, к чему-то... Вот со своеобразным звуком брякнул какой-то камень...

Груня поползла под лавкой, ощущая, что оставляет за собой кровавый след, словно некую странную границу. Выглянула из-под своего укрытия сквозь спутанные волосы.

Убранство костела было довольно скромное, но здесь имелось все, что и положено. Резные панели на стенах, уносящийся ввысь свод, высокие арочные окна с мозаикой, статуи святых в нишах, украшенные белыми цветами, аромат ладана, а по периметру несколько огромных мраморных гробниц с резьбой по бокам и на крышках. Двое мужчин в данный момент с помощью механизма сдвинули тяжеленную плиту с одной из них, бросили внутрь бездыханное тело Вилли, а затем вернули крышку на место. После чего перекинулись парой фраз на неизвестном Груне языке, собрали пожитки и двинулись назад.

Со лба художницы упала на чистый холодный пол капля пота. В тот момент только одна мысль билась в голове Аграфены: «Только бы меня не заметили... только бы не заметили... Это будет концом для нас обоих. Хорошо, конечно, умереть с любимым человеком в один день и час, в объятиях друг друга, но хотелось бы еще пожить...» О том, какую жуткую смерть избрали для Вилли, она старалась не думать. По легкому стону, который мужчина испустил, когда его опрокидывали в гробницу, ей стало ясно, что он еще жив. Но, конечно, сам ни за что не выберется из мраморного короба, это очевидно. Насколько ему хватит там воздуха, Груня тоже не предполагала. И не сойдет ли бедолага с ума, очутившись и осознав, какая смерть ему уготована? Ведь надежды, что его там найдут, у него даже не возникнет. И если Вилли все же начнет стучать ногами и руками о стенки саркофага, снаружи его все равно никто не услышит. Уж очень мощной выглядела гробница. А сейчас от нее еще и веяло жутью — из-за того, что Груня знала: в ней заживо погребен человек.

Мужчины прошли тем же путем, которым прошествовали к саркофагу. А потом Груня услышала то, что ей совсем не понравилось, — как снаружи лязгнул засов. Выждав еще пару мгновений, она, зачем-то пригибаясь, как солдат под обстрелом, хотя в костеле была совершенно одна, подбежала сначала к гробнице. И только при попытке постучать по каменной стенке чуть не сломала пальцы. К тому же не раздалось совершенно никакого звука. Перед нею был словно монолит. Но Аграфена — скорее по инерции, чем от здравого смысла, — все же попробовала сдвинуть крышку. Естественно, безрезультатно.

«Ее и десять мужиков не поднимут! Именно что механизм специальный нужен...» — поняла она, поражаясь тому, что даже щели не видно между крышкой и корпусом гробницы, как будто каменные глыбы за столетия приполировались друг к другу. И тем не менее прокричала:

— Вилли, Вилли, ты слышишь меня? Это я, Груня! Я здесь! Держись — я вытащу тебя! Пожалуйста, держись! Я сейчас только за помощью сбегаю! Я даже не знаю, слышишь ли ты меня... — Груша наконец-то оторвалась от гробницы и побежала к двери. Но ее надежда найти помощь оборвалась, то есть разбилась о закрытую дверь. Поколотившись еще и в нее, тоже неизвестно для чего, художница обернулась. По ее спине струился холодный пот, по ноге текла горячая кровь. Ощущение было не из приятных. Но мозг заработал быстрее, как всегда происходило, когда все зависело только от нее. «Что я имею? Полутруп в гробнице. Причем человека, который мне явно не безразличен. Единственный, кто может его спасти, — это я, но я истекаю кровью. Отсюда вывод: сначала я должна помочь себе, прежде чем начать помогать Вилли». Она побежала по проходу, осматривая все вокруг. Голые скамейки, статуи, цветы, барельефы на стенах, свечи... И тут она остановилась, увидев, что вокруг статуи Иисуса намотана какая-то лента с крестами и золотой окантовкой.

— Думаю, ты не сильно обидишься! — вслух обратилась к статуе Груня. И принялась энергично разматывать ленту, приговаривая: — Ты очень хороший и добрый бог... Очень прошу меня простить, я не знаю, чего тебя лишаю, но это во спасение жизни. Уверена, что ты поймешь и, главное, не будешь против...

Затем она быстро забинтовала этой шелковистой лентой ногу и перевела дух. Как-то сразу стало легче. Во-первых, не видно уже струящейся крови, а во-вторых, ее смерть от кровопотери отодвигалась на неопределенное время. Следовательно, можно уже подумать о спасении Вилли. И Груня с новыми силами заметалась по костелу. К сожалению, здесь не было запасных дверей, подвесных лестниц, стремянок, оружия, а также чего-либо другого, что могло бы ей пригодиться. Телефона, например.

— Господи, ничего! — запаниковала Аграфена, холодея душой и телом. Ведь, по сути, она оказалась в мышеловке. — Преступники-то вряд ли вернутся сюда. Зачем? А сколько времени, вернее, воздуха в запасе у Вилли?

И она снова попыталась взять себя в руки и начать мыслить логически.

«Телефона нет... Дверь закрыта... Где еще может быть выход? Правильно, окна! — Груня задрала голову и, если бы умела, присвистнула бы. Окна располагались на уровне хорошего третьего этажа, были арочными и полностью в витражных композициях на библейские темы. — Даже если они раритет и дорого ценятся, все равно не стоят жизни человека. Так что придется эту красоту разбить вдребезги ради спасения Вилли. Только как добраться-то до окна и высадить его?» Аграфена стала вновь судорожно осматриваться. Оторвать скамейку от пола, чтобы подставить к окну, не представлялось никакой возможности. Да и по ней, ровной и скользкой, стоящей под острым углом, все равно не взобраться... Никаких вещей, которые можно было бы сдвинуть или поставить друг на друга, тоже не наблюдалось. Совершенно пустой, одиноко стоящий, небольшой костел на кладбище...

«Ждать, когда кто-то придет и отопрет дверь? Не очень хорошая идея. Сегодня среда... А если храм откроют только, например, в воскресенье? Нам столько не продержаться. Воздух, вода, еда — всего этого у нас с Вилли нет в запасе...»

Центральное место в алтарной части костела занимала статуя Девы Марии, а за ней висело большое деревянное распятие.

— О, нет... — вслух охнула Груня. И перекрестилась, глядя на фигуру Иисуса. — Простишь еще раз? Ведь похоже, только с помощью распятия я смогу подняться по стене. Я же не человек-паук, чтобы лазать без опоры. Да, решено, бог нам поможет!

Глава 20

Дебрен Листовец подал рапорт вышестоящему начальству о том, что ему пора в очередной отпуск. Ему не всегда удавалось отдохнуть именно тогда, когда хотелось. Вернее, никогда не удавалось. От этого у него случались ежегодные нервные срывы и разногласия в семье.

— Все люди как люди! Путешествуют вместе... А я даже путевку не могу взять — все время ждем, разрешат тебе или нет! — сетовала жена.

— Не надо было выходить замуж за комиссара полиции. Я не принадлежу только себе! — отвечал ей Дебрен в минуты выяснения отношений, хотя прекрасно понимал супругу. Да и сам мечтал проводить больше времени с детьми и семьей.

И вот наконец ему вроде дали уже добро — за две недели до планируемого отпуска, который выпал аккурат на пятнадцатилетие совместной жизни Дебрена с Лорой, его верной спутницей. Градус настроения полицейского от радости подскочил. Прямо даже зашкаливал. Листовец уже предвкушал, как подарит супруге и двум дочкам поездку в Париж. Именно туда они все вместе и отправятся на годовщину, устроят там семейное торжество. Город любви, город, где они познакомились с Лорой, приехавшей туда туристкой из Румынии. А он находился там по делам службы, будучи еще в низком чине.

Дебрен прекрасно помнил то время. Лора была очень бойкой девушкой, не побоявшейся путешествовать по Европе в одиночку, и, как ему показалось, самой красивой на свете. Дебрен же был молодым, несколько нелепым и ужасно легко смущавшимся парнем. Лора сама назначила ему свидание, но он был вынужден сказать, что не сможет прийти, так как должен доставить опасного преступника, находящегося в розыске, на родину, ведь прилетел в Париж в командировку.

Ох и глаза у Лоры были!

— Что?! Ты в Париже, самом романтичном городе мира, с преступником?! — воскликнула девушка. — Ты меня променяешь на него?! Что же я такая несчастливая — из всех парней выбрала именно тебя!

Но телефонами и адресами они все же обменялись. А потом были звонки, письма, очень редкие встречи. Два раза Дебрен ездил к ней в Румынию, три раза Лора к нему в Венгрию. Потом молодой полицейский сделал ей предложение. А бесстрашная девушка впервые в жизни стушевалась, испугалась и — отказала. Оказалась не готовой к такому серьезному повороту отношений. Сразу сто причин нашлось для отказа: мол, ей еще надо доучиться, в ее планы не входило создавать семью с иностранцем... Дебрен был настойчив, но безрезультатно. Тогда Лора специально завела другого парня, своего соотечественника, и он отступил. Но, оставшись без него, Лора начала скучать, вспоминая их беседы и встречи, перечитывать письма. А через полгода девушка позвонила ему под Рождество, собираясь сказать: «Как дела? Давно не виделись». Но вместо Дебрена ей ответила его мать.

— Да, Лорочка, конечно, я тебя узнала. Я обязательно передам сыну о твоем звонке. Что? Почему ты не можешь поговорить с ним лично? Дебрен в реанимации, без сознания. В него стреляли... Он в тяжелом состоянии, но мы все надеемся на чудо, особенно в Рождество.

Первым же самолетом Лора вылетела в Будапешт. И провела в больнице Рождество, дождалась, когда Дебрен выйдет из комы. А потом осталась еще на три месяца, все дни напролет проводя в больнице. Там же они и расписались. И вот уже пятнадцать лет вместе. Правда, порой — как кошка с собакой.

— Надавил тогда на жалость! Если бы тебя не ранили!.. — кричала во время ссор Лора.

— Воспользовалась, что я был в больнице и еще окончательно не пришел в себя! — огрызался Дебрен.

— Мне нагадали, что я встречу свою любовь в Париже, а первым, кого я там увидела, оказался ты! — продолжала злиться Лора, растя уже двух дочерей.

— Ты мне сама свидание назначила!

— Я ошиблась! Ты был не романтическим юношей, а преступника там пас!

— Я работал...

— Вот всю жизнь и работаешь, а я, дурочка, попалась. Горе мне горе!

— Ты тоже не подарок. На работе мне нервы треплют, дома ты все время недовольная... Хоть бы раз подумала, что я каждый день могу погибнуть.

— Что?! Еще чего удумал! Я тебе погибну!.. Я тебя на том свете найду, так просто ты от меня не отделаешься!

— Вот в этом я как раз не сомневаюсь! — смеялся Дебрен.

Конечно, они любили друг друга, хоть и жили, кипя итальянскими страстями.

И вот сейчас, выйдя из своего участка, Дебрен предвкушал радость жены по поводу долгожданного отпуска и страстные отношения уже там, в Париже. Он остановился у своего припаркованного автомобиля и закурил. И тут за ним следом появился его начальник со словами:

— Хорошо, не уехал еще...

— Опять что-то? Я десять часов на службе... — напрягся Дебрен.

— Да я не о том...

— Вот только не говори, что мой отпуск накрывается. Хоть один раз за много лет можно обойтись без меня?! Один раз! Умоляю! Я всю жизнь сына хотел, и у меня появился реальный шанс его зачать, извините за пошлость. Уж ты мою Лору знаешь! Ведь рискую и дочек потерять — уйдет она от меня. Заберет детей и уйдет, вот увидишь. А тогда и работа мне на черта нужна будет? Дай уехать!

— Чего ты кипятишься? Езжай.

В глазах шефа все же оставалась некоторая растерянность и недосказанность, и Дебрен продолжил оправдываться:

— Нет, ну в самом деле! Разве меня заменить не могут? Две недели! Они пролетят, как...

— Я говорю — успокойся. Тебе и правда отдыхать надо... Просто...

— Вот! Всегда есть какое-то загадочное «просто»!

— Но Вилли — твой друг, и я думал, ты сам хотел проконтролировать, чтобы с ним все было хорошо, — пояснил шеф.

Дебрен несколько поутих.

— Вилли? А при чем тут он? Что с ним?

— Пока ничего. Но мне даже удивительно, что ты не подумал, отчего у него такие неприятности. Одно покушение — чудом выжил...

— Не чудом. Вернее, это чудо зовут Аграфеной, — перебил Дебрен.

— Потом второе покушение, — продолжил начальник.

— Тогда уже я пострадал, — поправил комиссар.

— Но по ошибке, хотели-то Вилли захватить и убрать. И теперь ты спасся чудом, то есть Аграфеной...

Дебрен рассмеялся:

— Как ты говоришь? Аграфеной? Словно она не человек, а явление. Или того хуже — болезнь. Насколько мне известно, оба злоумышленника полностью выведены из строя. А значит, ни на Вилли, ни на кого похожего на него больше покушений не будет.

— Ты удивляешь меня, Дебрен. Быстро успокоился. С твоим-то опытом и хваткой... Ну, уничтожили двух исполнителей, причем не очень удачливых. А сам заказчик — кто? Мы же так и не узнали!

— Тьфу! — сплюнул Дебрен. — Так я и знал, что когда-нибудь этот вопрос встанет... Кто мог заказать

Вилли? Да кто угодно! Он крупный бизнесмен — раз, известный сценарист — два, причем в среде последних сплошная ревность и зависть. А среди первых сплошная конкуренция. Да и женщин, в том числе замужних, у него было выше крыши. Поэтому мы можем всю жизнь искать того, кто точит на него зуб. Можно, я схожу в отпуск, а затем вернусь и опять вплотную займусь этим делом? Между прочим, я тоже пострадавший, меня чуть не убили. Я сейчас неспособен вести расследование! Это понятно? — говорил Дебрен и сам себя ненавидел за излишнюю бабскую болтливость и... за глупость профессиональную. Ведь убийцы ждать две недели не будут. Они могут напасть снова в любой момент.

Шеф постучал его по плечу.

— Я лично взял это дело под свой контроль, можешь не переживать. Я хотел просто, чтобы ты поговорил со своим другом. Ты же его лучше знаешь, а со мной он не идет на контакт.

— А чего надо? О чем его попросить? — несколько смягчился Дебрен.

— Я хотел приставить к нему охрану.

— Очень верная мысль, — согласился комиссар.

— У нас в участке все так думают. Да мне и сверху уже плешь проели, мол, с Вилли ничего не должно случиться. А он ни в какую не соглашается! Нет, и все! Никаких охранников рядом! Вот теперь ты с ним поговори и убеди, чтобы согласился. Вот то, что мне и надо было от тебя. Будет же сразу спокойнее.

— Ладно, извини, — смутился Дебрен. — Поговорю, конечно. Я-то думал...

— Только ты прямо сегодня поговори, а то что-то беспокоюсь я, — все-таки попросил его начальник, — словно предчувствую следующее покушение.

— Вот уж этого нам не надо!

Дебрен не мог остановиться — все смеялся и смеялся. Они с Вилли обедали на летней террасе одного из ресторанов.

— Ты сам купил все билеты в театр? Ну ты и театрал!

— Не все, половину. Вторую половину приобрели мои знакомые и...

— Твои знакомые? — снова покатился со смеха Дебрен. — Ты их просил? Заставлял? Шантажировал?

— Хватит ржать!

— Ладно, извини. Я тогда тоже пригоню своих ребят.

— Вот! Главное, чтобы театр заполнился. Чтобы появилась атмосфера. И был обязательно аншлаг. Я обещал это Груне. — Вилли укоризненно покачал головой, потому что его друг явно опять собрался расхохотаться.

— Ладно, ладно, все, — поднял вверх руки, как бы сдаваясь, комиссар. — Сказал же, зал будет полон, помогу своими молодцами. Пусть твои артисты готовятся.

— Они готовы. Похоже, как приехали, так и готовы... всегда готовы... — мрачно произнес Вилли, допивая кофе.

Дебрен решил, что наступил подходящий момент поговорить с Вилли о том, о чем его просил шеф. И нарвался на точно такую же реакцию — на категорический отказ.

— Тебя подвезти? — спросил Вилли у Дебрена в конце разговора.

— Давай к турфирме. С женой и детьми в Париж на отдых собрались! — Листовец вздохнул.

— Поздравляю. Знаю, ты давно об этом мечтал. — Вилли тронул с места свой белый «Мерседес». — Смотри же, и здесь уже пробки! Попробую в объезд...

После получасового кружения по Будапешту Вилли все-таки довез своего товарища до офиса нужной туристической фирмы.

— Пока, встретимся на спектакле. Приходи с женой!

— Попробую уговорить.

Дебрен с прищуром посмотрел вслед «Мерседесу» и усмехнулся: «Все-таки шеф у меня хитер. Знал ведь, старый чертяка, что и мне не удастся уговорить Вилли на охрану, поэтому установил за ним слежку, не спросясь. Всю дорогу за нами ехал этот старенький «БМВ». Молодец шеф, ничего не скажешь! А Вилли всегда погружен в себя, рассеян в силу своей творческой специальности, не поймет, что за ним присматривают. Значит, не будет нервничать и возмущаться, а полиции будет спокойнее». Последующие два часа Дебрен полностью посвятил туристическому агенту. Буквально вынул из милой девушки душу, но взял-таки путевки со скидками для детей в четырехзвездочный отель, но с бассейном — опять же для детей. Время уже поджимало, и комиссар прямиком направился на остров, к старому зданию русского театра, раз уж он обещал. Не могло не порадовать количество подошедшего народа. На его звонок ребята из участка отреагировали адекватно и все приехали. Правда, на их лицах читалось примерно следующее: «На хрена нам это надо? Спектакль-то на русском, а мы его не знаем и ничего не поймем...»

— Ради уважения к Вилли, — пояснил им Дебрен. — И...

— Что?

— Чтобы никто не заснул!

— Ты требуешь почти подвига! — хором ответили ребята, но пообещали.

— С меня пиво всем! После... — подбодрил их комиссар.

— Тогда другой разговор. А нельзя прямо сейчас? — хоть немного развеселились ребята.

— Я сказал — после. Вы не видели Вилли? — спросил Дебрен.

— Нет, не видели, что странно. Зато тут ходит разряженным петухом один тип из России и всем сообщает, что он теперь владелец этого театра и режиссер спектакля, который мы будем смотреть.

— Его зовут Эдуард, — догадался Дебрен, приглашая всех в зал, так как уже стали впускать зрителей.

— А вот и я! — хлопнул его по спине шеф Карлос.

— И ты здесь? — удивился Дебрен.

— А что ж, мне отделяться от коллектива? Вечер выдался свободный. Да и тебя хотел увидеть...

— Давно не виделись, — хмыкнул Дебрен.

— И заодно спросить, поговорил ли с Вилли. Кстати, где он?

— Не знаю, сам его ищу. Обязательно должен быть здесь... Я ему сейчас позвоню, пока не начался спектакль... Странно, недоступен.

— Что-то мне неспокойно, — почесал затылок шеф. — Говорю же, у меня какое-то неприятное чувство. Меня из управления заранее предупредили, что голову снесут, если еще что-то случится.

— Да ладно тебе... Сам же знаешь, волноваться нечего. Когда я видел его в последний раз, за Вилли следовал автомобиль со слежкой. Думаю, что если бы что-то случилось, тебе бы уже сообщили...

Тут к мужчинам присоединилась Лора в красивом черном платье. Ее глаза искрились, она уже поделилась со знакомыми ей женщинами новостью, что скоро летит в Париж. По всему было видно — супруга комиссара находится в предвкушении развлечений.

— А тут очень неплохой зал, любимый. Здравствуйте, Карлос.

— Лора, ты великолепна! Я, пожалуй, накажу твоего мужа за то, что он так редко выводит такую красавицу в свет! — галантно поцеловал ей руку начальник участка.

— А это и от вас зависит, дорогой мой, — кокетливо улыбнулась Лора. — Мы отпуск-то выпросили впервые за долгое время!

— Ты же знаешь, твой муж незаменим.

Они уселись в бархатные кресла и погрузились в ожидание, которым был просто пропитан воздух театра перед началом действия. Люди спешно обменивались последними новостями, понимая, что разговор должен будет прекратиться после третьего звонка. Зрители, идя на спектакль, принарядились, а старинный театр с уютным залом настроил всех на нужную волну. Дебрен чуть не свернул себе шею, высматривая Вилли, но так и не нашел. Зато заметил в первом ряду

246

очень эффектную брюнетку с красивой прической и породистым лицом. В глазах ее сквозило странное выражение — предвкушение чего-то... чего-то этакого. Комиссар узнал ее, так как уже видел, — Татьяна Ветрова, русская актриса. Только непонятно, почему она сидит в зале, а не находится за кулисами. Но времени размышлять на эту тему не было, в зале погас свет, и начался спектакль. Воцарилась уважительная тишина.

На сцене показалась очень красивая молодая актриса в платье, стилизованном под девятнадцатый век, которое смотрелось на ней как седло на корове. То есть совершенно современная внешность, особенно сильно накрашенное лицо с натянутой от ботокса и гиалуроновой кислоты кожей и жеманные жесты никак не сочетались с одеждой и прической. Сразу чувствовалось несоответствие. Актриса принимала заученные позы, которые, по всей видимости, долго репетировала перед зеркалом и которые должны были выгодно подчеркивать ее фигуру, что выглядело очень неестественно и вульгарно. Вообще слово «вульгарно» было первым приходившим на ум при виде этой актрисы и ее игры, вернее — чистого жеманства. А вот партнер ее, мужчина в возрасте, поразил собравшихся тем, что все произносимые монологи обращал только к сидящей в первом ряду даме, явно не являвшейся участницей спектакля. Мало того — он и диалоги, что его герой должен был бы вести с молодой героиней, как бы вел с той же красивой брюнеткой в возрасте, находившейся в зрительном зале. Люди не понимали, почему так происходит. Потом решили, что такова задумка режиссера. Но молодая актриса выдала выражением своего лица — нет, это не было запланировано. А еще она начала громче говорить, фактически истерить, становиться на пути следования взглядов пожилого артиста на даму в первом ряду, то есть спиной к залу. Татьяна же сидела совершенно безмолвно с блаженной улыбкой на лице, принимая тем не менее участие в спектакле, пусть и пассивное.

Люди с задних рядов приподнимались с кресел, пытаясь разглядеть ту, к которой обращались реплики героя. И в конце концов зрители начали смеяться — сперва послышались отдельные сдержанные смешки, затем более откровенные, а потом просто настоящий хохот. Раздались аплодисменты и даже крики «Браво!», которые предназначались исполнителю главной роли, Николаю Еремеевичу, продемонстрировавшему театр одного актера. Зрители не понимали языка, задумку, но оценили талант артиста, который, насколько смог, «перетянул одеяло» на себя. Артист абсолютно игнорировал партнершу Настю и совершенно не реагировал на смех в зале при молчаливом попустительстве Татьяны Ветровой. Да, спектакль дошел только до конца первого действия, но был сорван, зато Николай Еремеевич вызвал всеобщий восторг.

Карлос даже вытирал слезы, выступившие от смеха, и ажиотированно воскликнул:

— Вот дает!

Затем начальник полицейского участка, немного успокоившись, повернулся к комиссару:

— Слушай, Дебрен, а что ты имел в виду, когда говорил об автомобиле, следовавшем за Вилли? Кто-то организовал за ним слежку и мне ничего не сообщили? Что за самодеятельность?

Зачем коту копыта?

— Так это не вы послали тот старенький «БМВ»? — ахнул Листовец, мгновенно бледнея.

— Какой еще «БМВ»? У нас отродясь такого не было... Что ты видел-то? Кто-то за Вилли следил?

Мгновенно лоб комиссара покрылся капельками пота, а в глазах у него потемнело, словно в зале снова погасили свет.

— Мальчики, можно хоть здесь не говорить о работе?! — с раздражением в голосе сказала Лора. — Тут и так настоящее шоу, хоть вы цирк не устраивайте!

На сцену вылетел красный как рак Эдуард Эрикович и на английском языке, постоянно сбиваясь, попытался успокоить зал, чтобы продолжить спектакль. Но его суетливые движения, вспотевшее лицо и путаная речь вызвали у зрителей новый приступ гомерического хохота. Люди по-своему расценивали происходящее на сцене — как своеобразный балаган.

Но Дебрена все это уже не интересовало, он реально запаниковал. Его шеф сразу это заметил.

— Что-то случилось?

— Я же говорил: на мою просьбу Вилли отреагировал так же, как на твою, — от охраны отказался. Но когда он меня вез, я заметил, что за нами следует автомобиль, и решил, что вы приказали негласно за ним присматривать... Однако раз вы никого не посылали, то, значит, за ним снова следили преступники! А я так спокойно ушел! И вот Вилли нигде нет, его телефон не отвечает!

— Серьезное дело... — забеспокоился и Карлос. — Давай-ка всех наших соберем... Хорошо, что все здесь! Только где теперь искать Вилли?

251

— Ничего, найдем. Я подозревал, что он от охраны откажется, и решил подстраховаться — засунул ему в карман «жучок». Так что легко обнаружим его.

— Или его тело... — нахмурился Карлос.

— Да что ж такое происходит? Вилли все время похищают, то утопить пытаются, то в лесу зарыть...

— Все, пошли! — скомандовал шеф.

— Но ведь нужен прибор, чтобы отследить сигнал «жучка», — развел руками Дебрен.

— У меня в машине есть. — Карлос поспешил по проходу, а Дебрен за ним, бросив на ходу:

— Прости, дорогая... Не знаю, чем тут все закончится, но встретимся дома.

— Опять?! Ты даже в театре меня бросаешь?! — перехватило у той дыхание.

— Извини, дела...

— Я не полечу с тобой в Париж! Мне надоели твои дела! — начала истерично выкрикивать Лора, но ее крики потонули в общем шуме, царившем в зале.

Дебрен был рад, что больше не слышит ее нескончаемые жалобы, мол, у него все вопросы касаются жизни и смерти, что ему всегда есть дело до чужих людей, только не до нее, что она устала и больше так не может. Комиссар полиции знал претензии и упреки жены наизусть.

Глава 21

Мужчины сели в машину. Карлос включил дисплей, Дебрен ввел параметры «жучка» Вилли, и полицейские уставились на экран. Пока компьютер думал, Карлос заговорил, скорее успокаивая самого себя:

— Я еще заметил, что в зале нет той блондинки, на которую Вилли положил глаз. Может, мы зря маемся дурью и они просто проводят время вместе? Так вот захлестнуло их, что про всех и все забыли... Дамочка-то с темпераментом, вон как с преступниками разделалась! Кстати, меня уже наказали. Знаешь, не очень-то приятно слышать, что хрупкая женщина из России заменила все наше подразделение! Вдруг они правда сейчас где-то вдвоем развлекаются?

— Вот уж не знаю... Для подтверждения твоей гипотезы надо было и Груне «жучок» подсунуть, — усмехнулся Дебрен. — Но ей вроде никто не угрожал, она сама по себе несет опасность для окружающих... Смотри, есть! Вилли находится на одном месте уже два часа.

— Ну, точно, в кровати. Не двигается в ритме? Я имею в виду «жучок», — засмеялся шеф.

— Карлос, не ожидал от тебя! В твои-то годы!

— Да расслабься, простит тебя твоя Лора. Вот ведь характер у бабы! Проверь, где именно Вилли находится все эти два часа.

— Смотрю уже, приближаю. Дева Мария! — воскликнул Дебрен, моментально забывая и про свой отпуск, и про разъяренную Лору. На первое место мгновенно выскочили переживания за судьбу друга.

— Что? Где он? — отбросил игривость и Карлос.

— На кладбище... — выдохнул комиссар.

— Шутишь?

— Мне не до шуток, уж поверь. На нашем старом городском кладбище...

— Ничего не путаешь?

— Нет, если исправен прибор, — побледнел Дебрен.

— В моем автомобиле все исправно.

— Он неподвижен на кладбище уже два часа, — совершенно потусторонним голосом сказал Дебрен. — Датчик фиксирует все движения в радиусе десяти метров, так вот, Вилли не движется на этих десяти метрах!

— Может, он родственников решил там навестить? — предположил Карлос.

— В тот день, когда должен был быть в театре? И сидит на могиле два часа? Не обманывай себя, Карлос, — мы лопухнулись. Знали, что ему грозит опасность, но упустили его из виду. Вилли уже убили и зарыли! Самое лучшее укрытие для трупа — кладбище!

— Не истери. Всех туда! Не будем паниковать заранее, возможно, что он еще жив, просто ранен

или заснул, — прервал его шеф участка, стараясь не смотреть в удивленные и расстроенные глаза своего подчиненного.

До кладбища полицейские на трех машинах домчались очень быстро. Дебрен находился в отчаянии, у него не теплилась даже слабая надежда на что-то позитивное, светлое. Скорее всего, мрачно думал он, Вилли все-таки убили и зарыли там, где и место покойнику, где и искать не будут.

Видимо, Карлоса посетили те же мысли, поэтому шеф спросил:

— А точнее мы можем обнаружить местонахождение «жучка»? Не разрывать же там все могилы подряд?

— Карлос! Не говори так, вдруг Вилли все-таки жив. Надо надеяться... сам же сказал. Когда подъедем ближе, я смогу определить точнее.

На кладбище полицейские рассредоточились по периметру и с включенными рациями пошли искать Вилли. Дебрен припал к экрану прибора.

— Вон огонек, он в здании. Здесь есть здание? Ну конечно, есть — костел. Вилли в храме! Ох, чего ж мы сразу о плохом-то?! Вовсе он не захоронен!

Комиссар сорвался с места и побежал по кладбищу к виднеющемуся костелу. Карлос поспешил за ним. Сотрудники тоже получили задание ориентироваться на костел, но осматриваться и по сторонам. А всех подозрительных задерживать!

Дверь в костел оказалась запертой. Полицейские остановились. К церкви всегда отношение особое, и тут сразу ломать и крушить не хотелось.

Татьяна Луганцева

— Вилли! — закричал Дебрен, поднимая лицо кверху, словно пытаясь докричаться до окон.

И именно в этот момент раздался оглушающий звук, словно небеса разверзлись. Затем донесся нечеловеческий вопль, сливающийся со звоном разбивающегося стекла. До конца своих дней Дебрен не забудет этого зрелища — огромное красивое витражное окно костела как будто взорвалось и разлетелось на множество мелких осколков, а в облаке разноцветных осколков с неба летело человеческое тело и визжало оглушающе. Полицейские замерли. Никто не кричал: «Ложись! Пригнись! Атас! Шухер!» Или просто — «Караул!» Все остолбенели от неожиданности. Со стороны в этом зрелище наблюдалась даже какая-то красота, словно раскололась радуга. А расколола ее какая-то безумная женщина, летевшая сверху. Дебрен тоже был ошарашен. Настолько, что даже не поднял руки, чтобы защитить себя или хотя бы свое лицо от разноцветного стеклянного дождя. А ведь он находился в эпицентре происходящего, ближе всех к костелу и к разбившемуся окну-витражу. И вот летящее тело накрыло его просто плашмя. Комиссар не почувствовал сразу боли, а лежащая на нем женщина захрипела, словно потеряла свой голос в полете. Но потом из ее глотки снова вырвались устрашающие звуки, словно заревела иерихонская труба.

Дебрену, фактически бездыханному — свалившаяся с небес женщина вытеснила из него весь воздух, — показалось, что стены костела содрогнулись.

Женщина, лежащая на комиссаре, пискнула:

— Больно, однако.

Листовец дрогнул ресницами.

— Аграфена, ты? Не может быть...

— Почему не может? — как-то даже обиделась она. — Это я... вроде. Я так сорвалась жутко. Высота... Больно.

— Мне что-то тоже больно, — откликнулся полицейский, очень часто мигая и пытаясь начать дышать.

— Я так долго летела... — Аграфена задумалась. — Просто не знаю сколько. Ужас!

— А зачем ты летела? — не знал, что еще спросить, Дебрен.

— Я залезла на крест.

— Зачем? — явно тупил Дебрен, все еще не веря, что это с ним наяву.

— Хотела долезть до окна и позвать на помощь, разбить стекло.

— Удалось?

— Нет, не все пошло по плану. Крест оторвался от стены, и я вылетела из окна сама. Высота потрясающая! Я почему-то в полете подумала, что сейчас грохнусь на какую-нибудь жуткую могильную плиту и разобьюсь насмерть. Или еще хуже — попаду на железный крест, как мясо на шампур, и тоже погибну. Это ведь так нелепо — умереть на кладбище. Не находите? Но меня ждало ваше мягкое человеческое тело, и я спаслась. Дебрен, вы так вовремя подошли! Вот что значит — судьба!

— Я? Да... только я бы не сказал, что для меня это вовремя... Но если спас тебя, я рад. Ты меня, я тебя...

— Эй, голубки! Долго лежать-то будете? Просто влюбленная парочка... — наклонился над ними Карлос. — Груня, только спокойно! Я сейчас сниму тебя с Дебрена. Похоже, что ты его знатно придавила.

— Да чего там, я и сама встану! — залихватски ответила Аграфена, в глубине души еще не веря, что осталась жива.

— Нет, нет... Тебе не стоит этого делать. Лучше я сам и очень осторожно, — сразу же предостерег ее Карлос.

— А что случилось? — почувствовала подвох Груня.

— Не шевелись! — снова предостерег Карлос.

— И все-таки снять бы ее с меня, — робко напомнил о себе Дебрен.

— Сейчас снимем! Понимаешь, у нее из спины столько цветного стекла торчит, словно иголки у ежика. Такой сумасшедший, радужный ежик.

— Ой! — запаниковала Груня.

— Только не паникуй! — несколько припозднился с предупреждением шеф полиции.

— Легко сказать! Стекло в спине? Ужас! Я умру? Его там много? Я истекаю кровью?

— Не умрешь, все будет хорошо. Ребята, ну-ка взяли ее за руки и за ноги и так вот аккуратненько подняли... — командовал Карлос. — Где медики с носилками?

— Карлос, не шуми, вызвали только что. Откуда ж нам знать, что понадобятся медики? Сейчас ее надо просто снять с придавленного Дебрена и положить рядом.

Сказано — сделано. И вот уже перепуганная насмерть Аграфена лежит лицом в землю и хлопает ресницами, смахивая с них то ли росу, то ли слезы.

А освободившийся комиссар испытал дикую боль при вдохе и выдохе, когда с него сняли Груню.

Зачем коту копыта?

— Ой, как больно... — простонал он. И спросил: — Аграфена, а что ты делала в костеле?

Воцарилась неловкая пауза, а затем Груня закричала:

— Ой, Дебрен, там же Вилли! Его пронесли мимо меня и бросили в каменный саркофаг, и я не знаю, жив ли он еще там! Вы должны помочь! У Вилли вот-вот закончится воздух! Я же ради него и отправилась искать помощь!

— Тише-тише... Ребята, взламываем дверь! Что за саркофаг? — обратился к ней Карлос.

— Такое каменное захоронение, большая гробница слева...

— Все понятно. Лежи, не двигайся!

Груня выплюнула изо рта землю и пожаловалась:

— У меня спина болит. До того, в шоковом состоянии, я ничего не чувствовала, а как Карлос сказал про иголки...

— Я тоже боли не чувствовал, пока ты на мне лежала. А слезла, и больно очень стало дышать... — тоже пожаловался лежащий рядом с ней Дебрен.

И тут раздались крики, непонятные для Груни, потому что полицейские общались, конечно же, на венгерском языке.

— Что там? Что они говорят? — забеспокоилась Аграфена.

— Так, ничего... — ответил комиссар.

— Дебрен, я сейчас перевернусь и лягу на тебя спиной! — пригрозила художница.

— Ладно, ладно... Говорят, что крест оторвался от стены вместе с куском храма.

— Это я его оторвала! — самодовольно заявила Аграфена.

Дебрен же, судя по его виду, вовсе не одобрял ее игривого настроения.

— А я еще подумал: с Вилли явно что-то произошло, и очень странно, что тебя нет рядом... А тут — нет, как же без тебя! Ты вездесуща в спасении Вилли, это твоя миссия.

— Я, между прочим, и тебя спасла. Не смотри на меня так! Стекла в меня вошли, когда я тебя накрыла, а так все осколки просыпались бы тебе на грудь и в лицо, — прокомментировала Груня.

Но Дебрен с ней не согласился.

— Начнем с того, что я не просил тебя падать прямо на меня. Это ты сама сделала, по доброй или злой воле, уж не знаю.

— Нет-нет, не по злой! Я же Вилли спасала, по-другому я выбраться из церкви не могла, пришлось лезть к окну и разбивать витраж, — ответила Груша. — Кстати, как вы все здесь оказались так вот вовремя?

— А у меня голова не зря на плечах, мы присматривали за Вилли. Он не появился в театре и надолго завис с «жучком» здесь, на кладбище. Вот и приехали проверить. А тут ты...

— Я же не знала, что вы приедете! Иначе бы подождала, не крушила старый костел.

— А как бы ты помогла Вилли, вылетев из окна и наверняка сломав шею, если бы нас здесь не было?

— Там проблемы, — прервал их беседу Карлос. — Крест не просто оторвал от стены кусок, но и...

— И что?

— Упав, расколол гробницу, где и был обнаружен Вилли, — закончил мысль шеф полиции и покосился на Груню.

— Он умер? — скорее прошептала, чем проговорила Аграфена.

— Нет. Но не в очень хорошем состоянии.

— Как это?

— Вилли без сознания, а я не врач, не могу сказать, что с ним, — резко ответил Карлос. И, заслышав сирены приближающихся карет «Скорой помощи», заспешил к ним навстречу — рассказывать о всех раненых и покалеченных.

Дебрен с печалью в глазах посмотрел на Груню.

— Ты держись...

— Я держусь.

— Уверен, что Вилли выкарабкается. Он молодой и здоровый, и я очень надеюсь.

— Я тоже, — шмыгнула носом Груня. И чисто по-бабьи заголосила: — Это я его убила-а! Если бы я сидела тихо и ждала помощи, вы бы приехали, спокойно открыли гробницу и достали бы его оттуда! А я полезла наверх, сорвала огромный крест, он разбил гробницу, словно молот, и придавил Вилли-и! Я одна во всем виновата-а! Я его убила-а!

Дебрен пошевелился и тут же застонал.

— Прекрати выть! Ты не виновата. Ты же не могла знать, что помощь уже идет. Успокойся, что сделано, то сделано...

Вскоре и лежащий на спине Дебрен, и лежащая на животе Груня, не говоря о почти бездыханном Вилли, попали в чуткие руки докторов.

Глава 22

— Эх, хорошо! — отпила глоток темного пива Татьяна Ветрова и поставила кружку обратно на стол с громким стуком.

Выглядела актриса великолепно — безумно красивое лицо с чистой, сияющей кожей, яркие и умело подведенные глаза, ухоженные и блестящие темные волосы, летящее легкое платье из струящегося шифона поразительного глубоко-синего цвета... Ее поведение, громкий голос, жесты — все привлекало к ней внимание.

Таня с Груней сидели в пивном пабе и обедали. А заодно и ужинали. Груня же, не в пример своей визави, выглядела из ряда вон плохо. Она была как-то скрючена и очень бледна. А на ее лице застыла гримаса великомученицы и одновременно грешницы. Все-таки нельзя было буянить в костеле, перевязывать себя святыми одеждами и карабкаться на крест...

Аграфена тоже пила пиво, весьма уныло ковырялась вилкой в салате с копченостями, подаваемом

262

специально к нему, и недоумевала, как это Татьяне удалось здесь, в Венгрии, так возродиться. Актриса, словно Афродита, которая вышла из пены морской, все хорошела и хорошела. Если Груня чувствовала, что эта поездка просто вынимает из нее душу, то Татьяне явно все пошло на пользу.

— Ты чего такая кислая? — спросила Ветрова, заметив состояние художницы. — Пиво просто прекрасное!

— Хорошее. Только вообще-то я пиво не очень люблю.

— И погода нас тут балует.

— Да, дождя уже нет...

— Груня, взбодрись! Ты — как старая бабка! Ну, да! Вилли еще в больнице и без сознания, но ведь состояние у него стабильное. А это уже хорошо. Значит, в любой момент он может прийти в себя. Ну, Дебрен на больничном, если можно так выразиться, но это тоже не смертельно.

— Человек не поедет в отпуск, которого так ждал, жена на него обижена, — словно пожаловалась ей Груша.

— Какой там отпуск? Десять ребер сломано. А здорово ты его припечатала! Ему бы научиться заново дышать... Ха-ха! Извини. А жена простит — он же не виноват.

— Совершенно не смешно! — хмуро произнесла Аграфена, сидя на самом кончике стула. Вся ее спина и, так сказать, мягкая нижняя часть пестрели мелкими шрамами, после того как из них в больнице вынули все осколки стекла, крупные и мелкие.

— Ты мне сейчас напоминаешь героя Этуша из «Кавказской пленницы», — продолжала смеяться

Татьяна. — Только в него солью выстрелили, а на тебя витраж упал.

— Сидеть действительно больно. Да и сплю теперь лицом вниз, то есть в подушку, что крайне неудобно.

— Это временно, Груня! Все заживет, как на собаке! — отмахнулась актриса.

— Спасибо на добром слове. Только я буду вся в шрамах, словно в меня метали дротики. А Вилли, вообще неизвестно, придет ли до конца в себя... Вот ведь парочка получилась!

— Вижу в тебе положительную тенденцию, — неожиданно отметила Ветрова. — Ты свое будущее видишь рядом с Вилли, пусть и с покалеченным. Может, ты специально его крестом припечатала? Вот теперь и согласна взять себе не успешного красавца бизнесмена, а так, покалеченного и насмерть перепуганного. Ха-ха-ха! Он теперь без тебя и не сможет, знает: если что — спасти его можешь только ты.

— Таня, прекрати! Я о том и толкую, что несу всем только беды.

— Стечение обстоятельств, больше ничего! — После очередного глотка Таня снова наградила себя пивными усами.

— А что ты натворила на премьере? Мне рассказали... Твоя душенька довольна? — спросила у нее Аграфена.

— Очень! Жалко, что ты не видела самую удачную мою роль за всю жизнь — роль несломленной зрительницы.

— Ты и правда считаешь себя отомщенной? По-моему, все это ужасно.

Зачем коту копыта?

— А что такого-то? Я ничего не делала. Меня уволили, но я, относясь к своим бывшим коллегам с большой симпатией, пришла посмотреть на них и поддержать. — Актриса невинно посмотрела на Груню.

— Меня не проведешь: ты сыграла свою главную, хоть и немую, роль. А Николай Еремеевич хорош, ничего не скажешь! Он так сделал для тебя. Это потрясающе... и одновременно пугающе.

— Я знаю. Без Николая план мести, конечно, не удался бы!

— Ты оценила?

— Не знаю, что ты имеешь в виду, но вместе с ним я все равно не буду, — ответила Таня.

— Несмотря на его сильную любовь, которую он продемонстрировал, рискуя вылететь из театра? — удивилась Груня.

— Его любовь, не мою... Я не женщина-жертва, как ты, я разрушительница, и мне не жалко никого и ничего. Меня в свое время тоже не пожалели, — грустно улыбнулась Татьяна. — Да, Коля пострадал, но он знал, на что шел.

— Пострадал? А что случилось? — спросила Груня.

— Эдуард после спектакля лютовал.

— Лю-то-вал?

— Сердился в квадрате, орал, негодовал, брызгал слюной. Красным был настолько, что я думала, его хватит удар. И он, конечно же, уволил Николая, как ты и предположила.

— Как?! На самом деле уволил?!

— Так же, как и меня. А что тебя удивляет? Эдик меняет «старую гвардию» на «молодых и задорных». Он так и сказал Коле: «Отправляйся за своей Танькой!

265

Не ожидал я от старого артиста и своего друга такого предательства!» Да Колобов много чего кричал, чего уж там...

На красивом лице Ветровой появилась скорбная гримаса и разом проступили морщинки. Видимо, все-таки месть не так сладка, как Таня расписывала.

— Значит, и Николай Еремеевич теперь без работы? — грустно вздохнула Груня.

— Ага! Мы — я, ты и Коля — свободная троица.

— Таня, надеюсь, ты остановишься? Уже все сделано... Хотелось бы, чтобы больше никто не пострадал.

— А что я могу? Второй спектакль без Коли не сорвать.

— Он сегодня?

— Да, через два часа.

— А кто за Николая?

— Влад Супрунов. — Татьяна закурила тонкую сигаретку.

— Что?! Он же — полный ноль, всегда только в массовке! К тому же с памятью у него проблемы. Так... подай, принеси...

— Эдуард другого мнения. Да и надо же ему было кого-то вводить в спектакль. А Влад сам вызвался, сказал, что знает роль.

— Ужас! Не труппа, а сплошной фарс! И спектакль опять провалится, — покачала головой Груня.

— Ага. Но даже и хорошо, что мы к этому не будем иметь никакого отношения. Я бы тоже не захотела позориться с новым партнером. Николай талантище был!

— Почему — был? Не говори о нем в прошедшем времени! — забеспокоилась Груня.

Зачем коту копыта?

Подошедшая официантка спросила, будут ли клиентки еще что-то заказывать.

— Спасибо, ничего не надо, — ответила Татьяна за себя, объевшуюся, и за вяло жующую Аграфену. — Думаю, Николай теперь совсем сопьется. Он хоть и талантливый, но уже в возрасте да еще пьющий, так что в другом театре ему работу не найти. Если только роль какого-нибудь дворецкого дадут. С его харизмой и после главных ролей! За несколько лет до пенсии! Эдик просто убийца! — в сердцах сказала Ветрова, выпуская дым.

— А ты что будешь делать? Ты ведь тоже осталась без работы.

— Думаешь, не устроюсь никуда? — внимательно посмотрела на Грушу актриса.

— Я не про возраст, просто ведь тебя никто не знает особо... — смутилась окончательно художница.

— То есть вот ты какого обо мне мнения? Ну, что ж... Я всегда знала, что люди говорят, — мол, актриса я не ахти и держусь на главных ролях только благодаря близким отношениям с режиссером. Значит, и ты так думала? Прекрасно! И все-таки, Груня, устроюсь, пусть и не на главные роли. Даже на «кушать подано» пойду! Ничего страшного! Главное, чтобы куда-то ходить и работать. А потом, у меня же есть и другая перспектива... — с лукавством в глазах посмотрела на Аграфену Татьяна. — Ты дождешься выхода Вилли из больницы, останешься с ним в его шикарной гостинице, или он тебе новый дом купит, где скажешь. Что тебе в Москве делать? Тоже работы нет. Заберешь своих и переедешь в Европу. Вилли — человек надежный, ему можно довериться. Будешь ты здесь работать или нет, время покажет. А может, вы будете в связке? Вилли станет писать сценарии с условием, что оформлять спектакли будет только его жена. Вот тогда-то ты и развернешься на все сто, причем на лучших сценах мира. А через год-два ты забеременеешь — возраст-то в этом смысле у тебя критический, — посему тебе понадобится помощница. Тут-то я и подсуечусь — стану помогать тебе с карапузом, жить за границей и забывать Эдуарда. Что скажешь? Возьмешь?

— С удовольствием возьму! — с энтузиазмом ответила Груня. — Сама-то согласна на такое безмятежное домашнее существование? На роль няньки?

— А у меня в жизни достаточно уже страстей было, можно и попридержать коней. Да, такая жизнь, тем более с тобой, меня устроит.

— Я буду рада, — честно сказала Груня.

Таня промокнула уголки глаз бумажной салфеткой.

— Спасибо, Груня, я тронута. Но я пошутила.

— Мне надо было это предвидеть. Вы, актеры, все время... шутите. Хотя тебе уже можно было бы и поменьше шутить, чай, не ребенок.

— Не сердись. Я не буду никому обузой! И у тебя на шее тоже сидеть не собираюсь. Да и детей не особо люблю. Какая из меня нянька? Смех, да и только! — спокойно отмахнулась Татьяна. — Ничего, найду себе место под солнцем, за меня не беспокойся. Я не из тех, кто пропадет в этой жизни! Давай доедай быстрее, спешить уже надо.

— Куда? — не поняла Аграфена.

— Как — куда? В театр! Мы же должны посмотреть на сегодняшний цирк! — подмигнула ей Ветрова.

— Ты серьезно? Зачем нам это надо? Таня, давай не пойдем! Не будем ни унижаться, ни злорадствовать. Уже все свое получили!

— Если ты не хочешь, я одна пойду. Таково мое решение, — спокойно заявила Татьяна, изрядно заряженная алкоголем.

— Ладно, пошли вместе, я тебя не брошу, — вздохнула Груня, которой больше всего хотелось пойти в номер гостиницы, лечь на живот и в таком положении ждать вестей из больницы. Но почему-то ей страшно было отпускать Таню в театр одну. Не нравилось ей все происходящее в ее когда-то родной труппе.

Глава 23

Они снова оказались на милом, зеленом острове, у старого театра. Удивление вызвало у Груни то, что перед ним стоял народ, и толпа была не маленькая... Татьяна рассмеялась.

— А ты говорила, будто мы с Колей что-то испортили нашим бывшим товарищам! Да кто бы смотрел на эту крашеную куклу Настю? Да Николаю Еремеевичу надо памятник поставить! Он один спектакль сделал, превратил в шоу, в комедию, и зрители потянулись в театр. Ты смотри, сколько их здесь! Наверное, думают, что и сегодня нечто подобное будет! Только сегодня на сцене не будет ни одного человека, который смог бы не то чтобы пустить волну энергетики, а даже пукнуть ею!

— Таня... — смутилась Груня.

— Извини, говорю что есть.

— И ты хочешь смотреть на их позор? Неужели на самом деле есть такое желание? — продолжала удивляться художница.

— Более того — хочу им наслаждаться сполна. Эдик не знает, что делает... Мы с Колей были одно целое и вместе тянули на себе весь репертуар. А дурак Колобов взял да и отказался от ведущих артистов, а заодно и от тебя. Да я бы его убила, гада!

Аграфена поняла, что спорить с Татьяной бессмысленно. Она даже испугалась, как бы та, настроенная весьма решительно, не посвятила теперь свою жизнь тому, чтобы постоянно доставать бывшего любовника. Её обида и злость в первую очередь были направлены на Эдуарда Эриковича.

И тут произошло совсем неожиданное — их не пустили в здание. Сказать, что Ветрова возмутилась, — совсем ничего не сказать. Она просто была готова лопнуть от злости! Но два человека, контролирующие порядок и проверку билетов, чётко сказали, что по распоряжению директора театра мадам Татьяне проход в зрительный зал запрещён.

— На каком основании?

— Нам неизвестно.

— Я буду жаловаться! Это нарушение моих прав!

— Пожалуйста, можете даже подавать в суд, но на сегодняшний спектакль вы не пройдёте, — всё так же спокойно поясняли Татьяне.

А она не сдавалась. И требовала позвать директора, начальника полиции, президента Венгрии и королеву Англии.

— Какой талант! — услышала вдруг Груня и, обернувшись, увидела маленькую, очень пожилую женщину.

Та была одета очень аккуратненько и как-то так... несовременно. Старенькая шляпка с кое-где дырявой вуалью, клумбочка засохших, пожухлых и выцветших цветочков в вырезе давным-давно немодного платья, ажурные перчатки, кое-где заштопанные. Увидев, что привлекла к себе внимание, старушка заулыбалась, поджимая губы, как это иногда делают пожилые люди. И неожиданно заговорила:

— Здравствуй, дочка! Я русская, но уж лет двадцать живу здесь, в Будапеште. Даже видеть русских людей, тем более — представителей русской культуры, для меня сродни продлению жизни.

— Вы знаете Татьяну Ветрову? — спросила Груня, приняв ее за театралку.

— Я? Нет. — Небесно-голубой взгляд старушки затуманился. — Меня зовут Серафима Дмитриевна, я обитаю здесь недалеко и тружусь в антикварной лавке. Правда, работа ко мне подходит? — засмеялась эта дама из прошлого. — Вернее, муж мой был антикваром, но почил в бозе восемь лет назад, и я решила продолжить его дело. Не выбрасывать же то, что он собирал годами, фактически всю жизнь? Он так любил свои статуэтки, перечницы, брошюрки... Ох, чего у меня там только нет! Даже газеты местные за пятьдесят лет. Ко мне иногда из архивов или органов обращаются за информацией. А я вот не люблю старые вещи... Супруг видел в них историю, жизнь, доход, в конце концов. А я замечала только пыль и то, что они катастрофически сужали наше жизненное личное пространство. А вот когда Сени не стало, мне пришлось ими жить. Приходите ко мне в гости, для такой милой леди у меня есть чудная брошь с перламутровой камеей за символическую цену. Я все отдаю недорого, лишь бы кто взял, лишь бы все продать.

Зачем коту копыта?

С собой ведь не заберешь, а мой звоночек на вечный антракт скоро прозвонит...

Груня слушала интеллигентную старушку, понимая, что одинокому пожилому человеку просто не хватает общения. Но, как ни странно, это не раздражало и не надоедало! Аграфена пообщалась бы с ней с удовольствием и дальше, рассказала бы про современную Россию. Поэтому задала и сейчас естественный вопрос:

— А в России вы где жили?

— В Москве, деточка. Я знала многих актрис, актеров, была вхожа в артистические круги. Там я с Сеней-то и познакомилась. У нас был поздний, но очень крепкий брак.

— Вы были актрисой? — поинтересовалась Груня.

— Нет, я художница по профессии и по призванию. Но писала мало, не ради денег, а только по вдохновению. Или уж по очень большой просьбе сверху, — многозначительно подняла указательный палец к небу Серафима Дмитриевна. — Я никогда не испытывала материальных затруднений — сначала родители у меня были обеспеченные, затем муж, — и это несколько развратило меня.

— Я тоже художница! — отчего-то обрадовалась Аграфена.

— Правда? Чудесно! Правду говорят: свой свояка видит издалека. Тогда вы точно должны прийти ко мне в гости. Здесь действительно недалеко, все знают антикварную лавку тети Симы. На острове она одна.

— Я обязательно зайду. Во всяком случае, постараюсь, — пообещала Груня. И решила предостеречь новую знакомую, мол, сегодняшняя постановка обещает быть никакой, лучше бы она не тратила

свои нервы и время. На что получила лаконичный ответ:

— Даже если бы просто привезли куклу олимпийского мишки, я бы пошла посмотреть, потому что безумно соскучилась по родине и русской речи.

Тут Аграфену чуть не сбила с ног Татьяна, сразу же оттащив ее в сторону. Отчего художница не успела даже попрощаться с Серафимой Дмитриевной.

— Звони Дебрену! — потребовала Ветрова.

— Зачем?

— Беспредел творится! Меня не пускают! Пусть приедет полиция и разберется!

И тут уже Груня рассердилась:

— Знаешь что, Таня? Ты просто достала со своими амбициями! Ты думаешь только о себе! Дебрен, между прочим, еще болеет, человек весь переломанный. Никому я звонить не буду!

Татьяна мгновенно как-то сдулась.

— Ладно, не обращай на меня внимания. На твое посещение запрета нет, можешь идти в зал, бросить меня прямо здесь.

— Если бы ты была более чуткой к людям, то заметила бы, что я не горела желанием сюда ехать. Я здесь только из-за тебя. Поэтому никуда не пойду без тебя.

Актриса вздохнула, на ее лбу пролегла продольная морщинка.

— Я только хотела убедиться, что с труппой Эдуарда кончено... просто посмотреть... больше ничего не было бы...

Аграфена буквально всей кожей почувствовала, насколько Татьяна расстроена и огорчена. И тихонько предложила ей:

Зачем коту копыта?

— Ну, если хочешь, давай обойдем здание театра, может, где и пролезем? Только если ты пообещаешь мне вести себя сдержанно.

— Конечно, я обещаю! — обрадовалась Таня.

Две женщины, озираясь, стараясь, чтобы их никто не заметил, потихоньку двинулись вдоль стены. Заглядывали в каждое окошечко и даже пробовали их открыть, но те все оказались закрытыми наглухо. Таня начала нервничать, поглядывая на часы.

— Спектакль уже идет, то есть начался...

— Кстати, мы можем попробовать пройти через вон ту пристройку, — предложила Груня. — Я видела там дверь, ведущую куда-то, когда спасала Дебрена.

Татьяна тут же направилась туда, благо уже было видно, что дверь в сарай не заперта. Там они открыли ту створку, о которой говорила Аграфена, и по ступенькам спустились в подвал, похожий на своеобразный подземный ход. Здесь было темно, сыро и холодно. Кисть маляра и шпатель штукатура очень давно не касались этих стен.

— Надеюсь, выйдем прямо в здание театра, — вслух подумала Груша, оборачиваясь на свою спутницу.

— Вроде в нужном направлении идем. Вот, я уже слышу звуки музыки... Это же из нашего спектакля! — Татьяна подняла лицо кверху. — Точно, мы уже под театром, причем близко к сцене... Сволочи, все-таки играют наш спектакль!

— Таня, ты обещала! — прошептала Аграфена.

— Я держу себя в руках, как могу. Нам бы с тобой на сцену не выйти прямо вот так вот... Хотя зрителей рассмешим, им понравится, и опять-таки спектакль

275

сорвем, а может, наоборот, спасем. Все же только и ждут чего-нибудь этакого! — Таня хохотнула.

— Мы только посмотрим спектакль, — повторила Груня совершенно серьезно.

— А что там была за старуха, с которой ты разговаривала? — спросила актриса.

— Ты ее знаешь?

— Я? Откуда? А почему ты спрашиваешь? — удивилась Ветрова.

— Она из Москвы, наша землячка. Здесь с мужем много лет жила, лавку антикварную держит, — пояснила Аграфена.

— И сама уже антиквариат! — засмеялась Татьяна.

— Старушка говорила, что была вхожа во многие театральные и художественные круги Москвы.

— А кто же она такая? — заинтересовалась Таня.

— Говорит, что художница.

— А как ее фамилия?

— Не знаю, я фамилию не спрашивала. Зовут ее Серафима Дмитриевна.

— Стой! — вдруг остановилась Татьяна как вкопанная, забыв даже про спектакль.

— Что? Лбом стукнулась? — обернулась к ней Груша.

— Серафима Дмитриевна, Серафима... Сима... Слушай, а я слышала про такую художницу. Вроде Серафима Шубина... Точно, Шубина. Очень состоятельная дамочка была, сверкала брильянтами и голливудскими зубами уже тогда, когда я молодая совсем была. Она даже не смотрела в нашу сторону, мол, «сопливые девчонки».

— Серафима Дмитриевна сказала, что у нее были богатые родители, а затем состоятельный муж, — подтвердила Груня.

Зачем коту копыта?

— Может, и так. Помнится, ее не очень любили за то, что она была... как бы это выразиться... блатная. А еще она была потрясающей портретисткой. Написать свои изображения Симе заказывали члены Политбюро и другие шишки. Ей и любовные связи с ними приписывали, и поговаривали, что она стучит на своих коллег-художников, которые всегда отличались свободомыслием и крамольными взглядами. Кто-то из них, например, ругал советскую власть, кто-то хотел перебраться за границу... А что, может, и правда стучала, раз уж торчала сутками у всяких шишек. Тогда каждый выживал как мог. У бабы зато всегда имелись деньги и потрясающие связи. Короче, о ее человеческих качествах не знаю что сказать, но в профессиональном плане, говорили, Сима была художница от бога. Вернее, портретистка от бога. Вот уж мир тесен! Не думала никогда, что встречу ее когда-нибудь... тем более сейчас и здесь, в Будапеште.

Женщины начали подниматься по ступенькам. Но внезапно Таня снова остановилась и посмотрела на Груню.

— И тебе ведь как раз выпало странное и глупое задание — нарисовать именно портреты умерших родственников отца, а значит, и твоих тоже... кстати, Серафима могла бы преподать тебе, что касается портретов, мастер-класс.

— Не хотелось бы обращаться к человеку, который закладывал своих, — честно призналась Аграфена.

— Ну, так ведь то слухи ходили, а что на самом деле — неизвестно. Неужели это и правда Шубина? — задумалась Татьяна. — Удивительно, что время с людь-

ми делает... Она была очень энергичной женщиной, яркой, а сейчас — сморщенная старушка в обносках былых времен.

— Не думаю, что она бедная, раз уж имеет на продажу антиквариат. Наверное, экономит по доброй воле, как все пожилые люди. Им легче заштопать, чем новое приобрести, — отметила Груня. — Или нравится то, что в магазинах уже не продается, вот и латают старое. Словно свою молодость можно сохранить так же парой стежков...

Женщины поднялись в длинный, узкий коридор, от которого в одну сторону шли кабинки с цифрами. Звуки музыки были слышны, но глухо.

— А это ведь гримерные, — сразу же догадалась актриса, оказавшаяся в своей стихии. И заискивающе посмотрела на Груню, словно та была главной и все решала: — Давай, посмотрим, какие они? Я сюда не заходила. Старый театр, старые гримерные... Мне это всегда щекочет нервы.

— Загляни. По мне, так чем дольше ты не покажешься в зрительном зале, тем лучше, — согласилась Аграфена.

Ветрова открыла дверь первой попавшейся гримерки, и по напрягшейся спине Тани, стоявшей впереди, Груша поняла: что-то не так.

— Что там? Маленькая очень? Захламленная? — спросила она.

Вместо ответа Татьяна громко и четко произнесла:

— Ты здесь... Не думала, что так скоро увидимся. Не думай, что я сюда пришла в надежде встретить тебя. Совсем даже нет. Заглянула как актриса, которой не дали сыграть в этом театре, но которую под-

мостки, гримерные и вся эта атмосфера тянут просто магнитом.

Груня протиснула свое лицо буквально ей под мышку, пребывая в полном недоумении, с кем разговаривает Татьяна, и очень сильно любопытствуя.

Гримерка на самом деле не отличалась большими размерами. Да, в принципе, художница нигде не видела просторных, но эта из-за обилия какого-то хлама и коробок выглядела совсем крошечной. Но зеркало со столиком для грима и круглый пуфик перед трюмо здесь присутствовали. Именно на пуфике в профиль к вошедшим сидел Эдуард Эрикович.

— А чего ты здесь? — продолжала допытываться Татьяна. — Почему не любуешься на спектакль — твое произведение? Кинул труппу на позор и спрятался? А ведь должен быть с ними, с теми, на кого сделал ставку. Эх ты, Эдик... Ты же таким не был. Был бабником, когда-то пьяницей, а теперь стал упырем. Это наследство на тебя повлияло? Ну, чего молчишь?

Актриса вошла в гримерную и дернула режиссера за плечо. Эдуард Эрикович как сидел, так и повалился на нее. Глаза у него были открыты и безжизненны, а цвет лица был зеленоватый, с какими-то коричневатыми пятнами и выраженным сосудистым рисунком.

— Эдик! — закричала Таня и буквально рухнула на него всем телом, словно мать, защищающая свое дитя. — Эдик! Нет!

Ее крик разрезал все пространство на «до» и «после».

Груня остолбенела, окаменела и онемела. Ей почему-то сразу стало понятно, что Эдуард Эрикович мертв. Даже не понадобилось его трогать, щупать и производить еще какие-то действия. Его трогала

Таня, и этого было достаточно. Да и то, как режиссер завалился на бок, говорило о том, что он не в мягком, не в расслабленном состоянии, а в твердом уже.

Татьяна принялась рыдать, издавая совершенно душераздирающие крики. Аграфена же, взяв себя по возможности в руки, вышла из гримерки и не нашла ничего лучше, как позвонить Дебрену.

Вот чего Аграфена не ожидала, так это того, что комиссар полицейского участка Дебрен Листовец, мгновенно откликнувшийся на сбивчивую речь Груни и примчавшийся вместе со своими людьми в театр, будет выглядеть еще хуже, чем мертвый Эдуард Эрикович. Привезли его в лежачем положении на заднем сиденье машины. Лицом он был бледен до прозрачности, не мог сидеть, стоял, прислонившись к стене или косяку двери гримерки, говорил очень тихо, и складывалось впечатление, что даже дышать толком неспособен.

Из гримерной уже унесли тело Эдуарда Эриковича и вывели столь бурно отреагировавшую на смерть бывшего любовника Татьяну. Ее накололи каким-то успокаивающим и увезли в больницу. Почему-то только сейчас Груня поняла, что ее отношения с Эдиком на протяжении столь длительного периода, то есть всей жизни, были не простой интрижкой. Похоже, Колобов был для нее очень близким человеком, потеря которого сильно подкосила актрису.

— Наш патологоанатом предварительно предположил, что он был отравлен, — сообщил Дебрен.

— Как? Кем? Зачем? Я в шоке... — опустила голову Груня, которая сначала думала, что режиссера сразил удар.

— Соболезную...

— Спектакль освистали, Настю с ее партнером забросали помидорами, — зачем-то сказала Груня.

— Думаешь, Эдуард мог это предвидеть? — спросил комиссар.

— Вполне... Может, он сам отравился?

— Сомневаюсь. Хотя не будем загадывать, посмотрим, что вскрытие покажет.

— Ты присядь, — обратилась к Дебрену Груня.

— Спасибо, я постою. Все ребра болят, словно по мне трактор проехал.

— Как Вилли?

— Пока без изменений. И мы до сих пор не знаем, кто так упорно хочет его убить и за что, — осторожно вздохнул Дебрен. — У нас на руках одни вопросы — и ни одного ответа. Все так плохо!

— Я тоже могу добавить только вопросы, — сказала Груня.

— Добавь, чего уж там...

— Что теперь будет с труппой? Нет директора, нет режиссера... Что теперь будет с этим зданием, которое Вилли отдал Эдуарду? Что будет с Таней? Она просто сражена горем... Что будет с...

— Подожди, — прервал ее Дебрен, все же садясь на стул, причем как-то с размаху, и тут же явно выругался по-венгерски.

— Что с вами такое? — удивилась Груня.

— Забыл, что поломан... Ты сейчас стала задавать свои вопросы, и я подумал: должно же быть объяснение всему происходящему? Раз на Вилли кто-то покушался уже не однажды, следует узнать, кому досталось бы его состояние после его смерти. Так... для начала. Семьи у него нет.

— Государству? — не очень уверенно спросила Аграфена. — А при чем тут гибель Эдуарда Эриковича?

— Надо хоть с чего-то начинать. Пора разматывать этот клубок! С Вилли мы пока поговорить не можем. Но у него есть адвокаты.

Дебрен нахмурился и принялся куда-то звонить. Художница погрузилась в свои мысли под звуки венгерской, ничего не значащей для нее речи.

Наконец комиссар окликнул ее.

— Один из адвокатов подтвердил, что Вилли составил завещание.

— Зачем? Он же еще молодой! — удивилась Груня.

— Нормальная практика для богатых и одиноких людей, — пояснил Листовец.

— Его содержание — тайна?

— Для полиции нет. Все свое имущество и деньги Вилли завещал какому-то частному театральному фонду. «Высокий бельэтаж», вроде так называется.

— Что за фонд?

— Ты меня спрашиваешь? Я далек от театра, а у Вилли, повторяю, не спросишь. Надо выяснять!

— Так выясняйте быстрее, пока преступники не повторили еще раз попытку убийства! — воскликнула Груша.

— Я выясню, не переживай. Возвращайся в гостиницу. Твои соотечественники после такого позора и полного провала, думаю, могут уезжать домой. Пока их тут всех не потравили...

— Я не могу решать за всех. Других дел у них здесь нет, это точно. Надо купить билеты и лететь. С телом Эрика! Господи, что мы будем без него делать? — Груня еще больше помрачнела.

— Крепись! Об этом вы подумаете на родине. Сейчас ехать надо! Зрители потребовали вернуть им деньги за спектакль, который они посчитали полным безобразием. Поэтому, боюсь, вместо ожидаемой зарплаты вам бы на билеты на самолет наскрести.

— Я пока не полечу, — решительно заявила Аграфена. — Дождусь, когда Вилли придет в себя. Я должна знать, что с ним все будет хорошо.

— А я тебя и не выгоняю. — Дебрен дрожащей рукой ощупал себя, словно ища кнопку управления своим телом, чтобы нажать на нее и почувствовать себя лучше.

— А артистам лучше лететь, когда уже можно будет забрать тело Эдика, чтобы сразу отвезти его на родину, — добавила Аграфена.

— Я не говорил, что они должны отбыть сию же секунду! Наоборот, все должны задержаться на несколько дней — мало ли какие вопросы возникнут у следствия. Если режиссера отравили...

— Ты имеешь в виду, что кто-то из них мог убить Эдуарда?

— И это тоже. Вряд ли кому-то из венгров могло понадобиться его убивать. И если все же его и убили, то свои, — четко произнес Дебрен и встал, охая и стеная. — Подвезти не предлагаю. Меня самого возят, как мешок с... Не будем уточнять.

— Сама доберусь, — буркнула Аграфена.

Глава 29

Почему-то именно сейчас, находясь на кладбище, Груня почувствовала себя особо тоскливо. Светило солнце, небо было абсолютно безоблачным, а вот в душе у нее как будто умерло все. Ее очень подкосила гибель Эдуарда, а о Вилли даже думать было больно.

Аграфена пришла сюда сама, нашла могилы родственников Марка и принялась за работу. Набросок шел за наброском, но что-то не складывалось. Как Груня ни старалась написать портрет живого человека, все равно получался посмертный. Но она продолжала работать, чтобы хоть как-то отвлечь себя от неприятных мыслей.

— Надо же, как мир тесен... — раздался голос у нее за спиной.

Художница обернулась. Перед ней стояла вчерашняя старушка. Сегодня она была в длинной юбке в клетку, в темном жакете, похоже, с теми же засу-

шенными цветами, снова подколотыми к вороту, и в летней панамке из соломы.

— Серафима Дмитриевна? Здравствуйте...

— А я к своему Сенечке ходила. Смотрю — вы или не вы? Значит, судьба нам вновь встретиться. В гости-то ко мне бы не зашли... Кому мы, старики, нужны? — Груня почему-то смутилась. — Спектакль вчерашний оказался — хуже некуда. Русские артисты не должны так паршиво играть. Какие-то случайные люди вышли на сцену. Неужели сейчас в русском театре такое везде творится?

Старушка, которой не удалось приобщиться к настоящему искусству, по которому она так скучала, тяжело вздохнула.

Груня ощутила укол совести:

— Понимаете, с труппой сейчас не все в порядке. Не везде так, уж поверьте.

— Артисты никакие, спектакля нет... Я была очень разочарована. А что ты, дочка, тут делаешь? — заинтересовалась женщина.

— Да вот, срисовываю портреты с могильных плит. Не спрашивайте, зачем и почему. Просто себя занимаю хоть чем-то...

— А что, писать можно только здесь? — спросила Серафима Дмитриевна.

— Здесь-то как раз не особо и получается. Да только с фотографии, сделанной с могильного памятника, совсем не смогу. Нет жизни в эскизах, в лицах, и все тут, — пожаловалась Аграфена.

Пожилая женщина захихикала.

— Эта фраза особенно странно звучит на кладбище, если только не иметь в виду вечную жизнь. Конечно,

жизни ты из них, с этих фото, не вытянешь, — прищурилась Серафима Дмитриевна, буквально вплотную приближаясь к могильным памятникам. — Они же мертвые, тут даже я тебе не помогу, а ведь я в этом деле спец, можешь мне верить.

Груня решила промолчать, что уже знает кое-что о ее биографии. Только подумала: Таня не ошиблась, правильно узнала женщину по имени.

— Я вижу, что они мертвые, — вздохнула Аграфена, — только меня специально вызвали из России их портреты написать.

— Из России? Специально? — удивилась старушка, поглаживая каменный памятник, словно извиняясь перед усопшими за их треп на могиле.

— Да, один человек приезжал в Москву, видел мои работы и захотел, чтобы именно я написала портреты его родственников, — пояснила Груня.

— Человек не любил своих родственников? — уточнила Серафима Дмитриевна.

— Почему вы так решили?

— Ну, тебя позвал... — неопределенно ответила старушка.

— Наоборот, любил. Они его единственной родней были, — не совсем понимала ее Аграфена.

— Значит, он был дилетантом, то есть ничего не понимал в искусстве, — кивнула, как бы отвечая на свои собственные вопросы, Серафима Дмитриевна.

— Нет, он всю жизнь был в искусстве! А почему... — начала было, не на шутку волнуясь, Груня, но старушка ее прервала:

— Ты меня извини, деточка, я не знаю, кто ты по специальности основной, но вижу, что человек в целом хороший...

— Я художник-декоратор, — пояснила Груня, которой нечего было стыдиться.

— Вот! Я не знаю, какой ты художник-декоратор, то есть не видела твоих работ...

— Видели. Вы были на спектакле, пусть и неудачном. Сцена оформлена моими декорациями.

Старушка задумалась, видимо, вспоминая. Наконец оценила:

— А ты знаешь, неплохо. Актеры-то играли из ряда вон, а оформление сцены очень даже ничего. Просто все на сцене было так паршиво, что на декорации никто и внимания не обращал...

— Спасибо. Так и бывает, и когда хорошо играют, всем тоже не до декораций.

Дама нервно потеребила цветы у себя на пиджаке и вдруг заявила:

— А вот портретист ты никакой! Если, конечно, хочешь знать мое мнение...

— Что?

— Очень посредственный портретист, полный ноль. И странно, что пригласили из другой страны именно тебя, хотя тут своих таких художников мешками... Не понимаю зачем? — Серафима Дмитриевна пожала плечами.

— Вот бы вас, например, позвали... В сто раз лучше бы получилось! — съехидничала Аграфена.

— Я уже не пишу, — серьезно восприняла ее слова бывшая художница Шубина. — Ты не обижайся, но если тот человек разбирался в искусстве, то пригласил

он тебя сюда вовсе не для того, чтобы ты портрет написала, а для чего-то другого.

У Груни даже листки повыпадали из рук.

— Что? Совсем плохо? Он отцом моим был, как оказалось.

— Ну, вот видишь! Наверное, хотел чем-то поддержать, познакомиться...

— Вряд ли. Он уже умер ко времени моего приезда. А в завещании опять попросил написать эти портреты, и других просьб не оставил, — ошарашенно уставилась на собеседницу Аграфена.

— Тогда я — пас! Я не знала ни твоего батюшку, ни какие мысли бродили у него в голове. Но по эскизам, что я вижу, портреты у тебя совсем не получаются, зато всякие ненужные мелочи вокруг — пожалуйста! Все то, что мешает и абсолютно не нужно портрету. И ты думаешь, что я старая, выжившая из ума тетка?

— Нет, — не очень уверенно ответила Груша.

— Какой же ты портретист, если даже не поняла, что здесь, на фотографиях, что прикреплены к каменным плитам, сфотографированы уже мертвые люди? То есть они умерли, а потом их как-то привели в порядок, открыли им глаза, загримировали и сфотографировали. Это тебе любой судмедэксперт скажет, если мне не веришь. А ты в лицах покойников жизнь ищешь... Да ее тут изначально быть не может! Уж я-то знаю физиономистику, и анатомию, и физиологию досконально. Так вот, подобное состояние мышц, мимика, взгляд могу быть только у мертвых людей. Повторяю — уже почивших людей! — закон-

288

чила свою речь Серафима Дмитриевна и посмотрела на Аграфену.

Та готова была провалиться сквозь землю.

— Не может быть...

— Гарантирую, что это так, можешь заключение у любого эксперта попросить, — безапелляционно добавила Серафима Дмитриевна.

— Но как же... Нет, просто бред какой-то! Никто так не делает. Для чего фотографировать мертвых, а потом выдавать снимки за изображения живых? Чтобы прикрепить их на памятники? Зачем?! Марк жил в Венгрии и знал, что здесь это вообще не принято. Логичнее было бы похоронить усопших, установить просто кресты, и все. — Аграфена совсем растерялась.

— Ты меня спрашиваешь? Я с таким случаем тоже впервые сталкиваюсь. На самом деле странно. Хотя...

— Что?

— Тогда бы он не смог попросить тебя написать эти портреты.

— Тогда бы не смог, — согласилась Груня. И снова посмотрела на памятники. — А разве так важно написать их?

— Вероятно, важно. Просто ты не понимаешь, для чего. А может, дело в деталях?

Груня вздохнула:

— Я давно чувствую, что дело именно в каких-то неуловимых деталях, на которые не обращаешь внимания, поэтому и не видишь.

— Ну, ничего, ты сосредоточишься и поймешь. — Серафима Дмитриевна присела рядом и вздохнула. — Чем я еще могу помочь?

— Немного рассказать мне о своих ощущениях и деталях...

— Оно, конечно, пожалуйста, только как раз детали — это совсем не мое. Я всегда видела и запоминала только лица, а на то, во что человек одет, даже на цветовую гамму, зачастую не обращала внимания.

Глава 25

В баре отеля Аграфена сразу заприметила ладную фигурку Насти и подошла к ней. Молодая актриса сидела у стойки, держа в руке высокий стакан для коктейля, уже опустошенный наполовину. Выглядела она ужасно, как-то разом потеряв весь свой лоск. Лицо было ненакрашенным, опухшим, глаза красными и потухшими. Даже одежда на Насте выглядела как-то неопрятно и безвкусно. Весь ее вид говорил, что старлетке плохо.

— Привет, — поздоровалась с ней Аграфена.

— Привет... талисман ты наш, — как-то вяло ответила Настя.

— Что?

— Как только тебя Эдик, царство ему небесное, прогнал, так и началось... Это была ошибка. Ты ведь очень хороший человек, абсолютно не участвующий ни в каких интригах, никого не обижающий... Тебя ему трогать не надо было. Бог его и наказал.

— Что будете пить? — обратился к Груне официант.

— А вот то же, что и девушка.

— И мне повторить! — тут же встрепенулась Настя. Груня была искренне удивлена, поскольку впервые слышала, что Настя упоминает бога, пусть даже в таком вот контексте.

— Я тоже сожалею, что Эдуарда больше нет, — сказала она.

— А уж как я жалею! Только у меня стало все налаживаться, я стала примой, и сразу же моего покровителя убили! Куда я теперь пойду? Кому я нужна? Ведь придется начинать буквально с нуля, а у нас, у актрис, полгода простоя за пять лет идут. — Анастасия казалась уже сильно пьяной.

— Настя, ты хочешь быть богатой? Ходить с кредиткой по магазинам, посещать всякие спа-процедуры, жить в загородном доме? — спросила Груня.

— Кто же не хотел бы? Ты назвала все атрибуты благосостояния...

— Так вот тебе мой совет: ты очень красивая женщина и должна воспользоваться своей красотой, удачно выйти замуж за богатого. А про актерство забудь. Неужели ты не видела, что тебя в главной роли зритель не принял? Ну, будет у тебя другой любовник-режиссер, но ведь зрителю до этого нет дела. Не понравится твоя игра — освищут.

— Я настолько плоха? — сфокусировала взгляд на Груне молодая актриса.

— Честно? Ты очень хорошая, красивая, ты способна идти к своей цели и даже будешь хорошей матерью для пары ребятишек, но ты — не актриса, — высказала ей свое независимое мнение Аграфена.

Настя снова вцепилась в бокал с коктейлем и опустошила его до дна.

— Эдик бы мне помог. А старая грымза убила его, чтобы он мне не достался!

— Ты о ком? — испугалась художница.

— О Таньке Ветровой, конечно. Ведьма! Не отпустила его со мной и не простила свое увольнение. Я, конечно, все понимаю, но убивать... Это бесчеловечно! Они столько лет были знакомы!

— Настя, что ты говоришь? При чем тут Таня? Почему ты думаешь на нее? Да на ней лица не было, когда мы его нашли! Я же была с Таней в тот момент, ее потом чуть не с нервным срывом на «Скорой» увезли! — возмутилась Груня.

— А кому еще могло понадобиться Эдика убивать? Ясное дело — только ей! Она и сама говорила, что убьет его за свое унижение. А Танька может, с ее-то ненормальной психикой... Я сама ее боюсь. И то же самое я сказала полицейским, которые подозревают, что убийство совершил кто-то из своих. А кроме Ветровой — больше некому! — Анастасия шмыгнула носом.

— Этого не может быть! Таня в тот день и вечер была со мной. Мы вместе с ней обнаружили мертвого Эдуарда, и она так плакала, что у меня чуть сердце не разорвалось!

— Плакала... Потому и плакала — переживала, что натворила. Да мне, собственно, все равно... Только я везде и всем повторю: Эдика убила Ветрова. И все! — Настя закрыла лицо руками.

Бармен показал Груне на пальцах и с помощью мимики, что ее соседке уже хватит пить, коктейль

был пятый. Художница кивнула, с грустью понимая, что именно ей сейчас придется тащить пьяное и зареванное тело старлетки в номер. И тут ее взгляд упал на пребывающего в полной задумчивости Николая Еремеевича, сидящего за столиком на одного.

«Да что ж это такое! Мне их всех придется собирать в баре и доставлять в кровати? — подумала она. — Лучше бы уж разрешили актерам убраться восвояси...»

Она оставила Настю и побежала к бывшему ведущему актеру труппы.

— И ты тут?

— Что? Ах, да... Рад видеть тебя, Груня, — сказал тот абсолютно трезвым голосом.

Аграфена покосилась на его полный исконно русского размера стакан.

— Это минералка, — перехватил ее взгляд Николай Еремеевич.

Глаза Груши стали еще больше и удивленнее.

— Минералка?

— Именно так.

— Очень не похоже на тебя. Думаю, что ты понимаешь, о чем я.

— Понимаю. Но сейчас я собрался, Тане очень плохо, и я просто обязан ее поддержать.

— Ну, хоть кому-то нынешняя ситуация пошла на пользу, — вздохнула Аграфена.

И тут со стороны барной стойки раздался грохот. Это Настя брякнулась на пол вместе с высокой табуреткой, на которой старлетка сидела.

Груня с Николаем Еремеевичем поспешили к ней на помощь и, подняв под руки, поволокли к выходу

под заинтересованные и осуждающие взоры окружающих людей. Кто-то даже успел посмеяться над ними.

Уже в номере Настя вдруг внимательно посмотрела на художницу и приложила указательный палец к губам.

— Тише... При нем — молчок! Коле тоже было выгодно убрать Эдика — теперь его несравненная Таня принадлежит только ему. Он всегда ее ревновал, вот и заливал горе водкой!

После этих слов красотка, как говорится, отрубилась.

— Так переживает... — пожала плечами Груня.

— Ну да, за себя переживает, ведь потерпела полное фиаско. Так долго обхаживала Эдика, а едва добилась своего, снова стала никем, — кивнул Николай Еремеевич. — Ничего, молодая еще, оклемается... Хотя такой щелчок по носу!

— Что там с Татьяной? — спросила у него Груша.

— Не хочет никого видеть. Плачет и говорит, что ее жизнь потеряла смысл, — повел плечом актер. — Но она — сильная натура, и я надеюсь, что скоро сможет смириться с потерей своего режиссера.

— Мы все привязаны были к Эдуарду, он был нашим центром, душой театра, со всеми своими недостатками и достоинствами, — грустно проговорила Аграфена.

— Не думай, что я рад. Он был моим другом, — сказал Николай Еремеевич.

Груня открыла форточку, чтобы впустить свежий воздух в комнату.

— Я ни о чем таком не думаю. И вообще, пусть полиция думает. Ведь кто-то же Эдика убил, то есть отравил.

— Готовься и ты к допросу с пристрастием, — усмехнулся мужчина.

— Да?

— Допрашивают всех. А кого Эдуард уволил, тех особенно. Считается, что это хороший мотив, — пояснил Николай Еремеевич.

— Если бы все уволенные убивали своих бывших работодателей, то их уже бы не осталось, — буркнула Груша. — Нам с Таней повезло — мы были вместе, следовательно, обеспечиваем друг другу алиби.

— Вряд ли такое алиби возьмут в серьезный расчет. Может, вы вдвоем его и отравили, из мести? Женская обида — страшная сила! — Николай Еремеевич в трезвом состоянии выглядел весьма нервно, чувствовалось, что ему явно чего-то не хватает.

— Кстати, а где был ты? — спросила Груня. — Следуя твоей логике, ты тоже под большим подозрением, ведь нас троих уволили. Мы с Таней были вместе, а ты где был?

— Ты серьезно? — улыбнулся безработный артист.

— Серьезнее не бывает. А что?

— Ну, во-первых, ты не полиция, чтобы я держал ответ перед тобой. А во-вторых, логика не моя, а полицейских, это их умозаключение, что убить режиссера могли те, кого он выгнал из труппы.

— Да ладно тебе, я пошутила. Всего лишь спросила. Я тоже переживаю за ситуацию, — не сдавалась художница.

Зачем коту копыта?

— Во всем виновата ты! — вдруг заявил Николай Еремеевич. Груша вздрогнула, но он тут же добавил: — Если бы не ты, то мы не прилетели бы сюда и ничего бы этого не случилось. Не знаю, что именно хотел Марк от своей дочери, приглашая ее сюда вместе со всеми коллегами, но у него явно ничего не получилось. Одно несчастье следует за другим. Мы все здесь как будто подорвались на минном поле.

— Несчастья идут от людей живых, а не мертвых, — не согласилась Аграфена.

— И из всех живых людей ты выбрала для допроса меня? — Николай Еремеевич ослабил галстук.

— Ты очень нервно отреагировал на мой вопрос, а я всего лишь поинтересовалась. — Груня как-то напряглась, не понимая, куда может затянуть ее этот неприятный разговор.

— Давай выпьем, — предложил актер.

— Ты же бросил!

— Сейчас опять начну — после твоих подозрений.

— Хорошо, только давай уйдем из номера Насти, пусть она отдохнет. И потом, не подозреваю я никого, пусть преступника ищут профессионалы.

— Как скажешь.

Они пошли в номер Николая Еремеевича, где царил полный бардак, то есть просто холостяцкий хаос.

— Извини, у меня тут...

— Ничего-ничего, одинокий мужчина имеет право на легкий беспорядок, — успокоила его Груня.

Николай Еремеевич достал из своих запасов бутылку коньяка и плеснул по полбокала.

— Помянем Эдуарда Эриковича...

— Пусть ему земля будет пухом, — согласилась Аграфена.

— Я бы на твоем месте не пила с ним, — вдруг раздался голос Татьяны у них за спиной.

Груня посмотрела на вошедшую и осунувшуюся Ветрову. Казалось, та даже похудела за прошедшие сутки.

— Таня? Как ты?

— Поставь бокал, — повторила актриса глухим голосом.

— Почему? — удивилась художница.

— Потому что это он убил моего Эдуарда.

— И ты туда же! — всплеснул руками Николай Еремеевич, подходя к Татьяне и усаживая ее на диван. — Сколько же можно повторять, что я не убивал Эдика? Успокойся! Давайте все успокоимся и выпьем!

Таня тихо заплакала. Бывший ведущий артист плеснул коньяк в третью рюмку.

— Думаю, пора нам возвращаться домой. Там все придет в норму.

— Выдадут тело Эдика и сразу же уедем, — всхлипнула Ветрова.

— А что говорят полицейские? — повернулась к ней Аграфена.

— Да пока ничего... Кроме того, что точно доказано: Эдуарда отравили.

Раздался телефонный звонок, и Николай Еремеевич как хозяин номера взял трубку. Он фактически не говорил, а только слушал и мрачнел с каждой секундой. Потом так же молча отключил связь. Затем долго не решался повернуться к женщинам.

— Что там? — спросила Ветрова. — Говори, не томи.

— Таня, покрепче обними Грушу...

— Зачем?

— Вы теперь сестры по несчастью. Поддержите друг друга, — глухо произнес актер.

— Да что случилось?

— В больнице умер Вилли... Мне только что звонил Дебрен и попросил меня сказать об этом вам.

Аграфена ахнула и закрыла рот руками, чтобы вместе с диким криком отчаяния из нее не вышла вся жизнь. А затем потеряла сознание, повалившись на мягкие телеса Татьяны. Помощь друзей иногда бывает просто физически необходима.

Глава 26

Прошло три недели.

Аграфена в классическом брючном костюме и легком плаще сошла с трапа самолета, приземлившегося в Будапеште. Уверенной походкой прошагала к стоянке такси и назвала адрес отеля Вилли.

— Гостиница вроде на ремонте, — посмотрел на нее водитель. — Если вам надо где-то остановиться, то я могу посоветовать и другие хорошие отели.

— Мне нужен именно этот, — сказала, как отрезала, Груня.

Автомобиль подъехал к знакомому ей красивейшему месту, но вместо светлого, такого воздушного отеля Вилли она увидела уродующие фасад леса из досок, строительных сеток и железной арматуры. Вход в отель был закрыт, само здание огорожено по периметру. Аграфена не нашла звонка и встала у ограды. Первым человеком, который оказался в поле ее зрения, был рабочий в строительной каске. Она жестами

подозвала его и принялась изъясняться на английском языке. Но мужчина, сдвинув каску, почесал затылок и сказал по-русски:

— Я вас не понимаю. Я из Молдавии, говорю на русском и молдавском.

— Отлично! — обрадовалась художница, тоже переходя на русский. — Очень даже хорошо!

— Что вы хотели?

— Я только что прилетела из Москвы.

— Отель не работает. Две недели как на ремонте, всех переселили в другие отели. Нас вот наняли для капитального ремонта и реконструкции...

— Я бы хотела поговорить со старшим.

— С прорабом?

— Нет, с владельцем.

— Я всего лишь рабочий, — развел руками парень.

— Это очень важно, — заверила его Груня.

Бумажка в пятьдесят евро сдвинула их диалог в положительную сторону. Купюра исчезла в одном из многочисленных карманов спецодежды рабочего, и вскоре к Аграфене вышел прораб. С ним она повела разговор уже на английском.

— Что здесь происходит? Я останавливалась здесь три недели назад, и владельцем отеля был Вилли.

Прораб сдвинул каску на затылок.

— Да, было именно так, но случилось непоправимое — хозяин отеля умер. Уж не знаю, что там произошло, вроде еще совсем молодой мужчина был... Но наследников у него не оказалось, и все имущество, в том числе отель, перешло к какому-то международному театральному фонду. А тот затеял тут...

— Ремонт?

— Да, капитальный. Внутри все ломается, год-два работы продлятся, — сообщил прораб. И представился: — Итен.

— Очень приятно. А могу я пообщаться с кем-то из представителей фонда? — спросила Груня. И, поняв, что путь ее будет нелегок и тернист, сунула и ему бумажку в пятьдесят евро.

— Это лишнее! — сразу же отдернул руку мужчина, посмотрев наверх.

Художница проследила за его взглядом и заметила метнувшееся в одном из окон лицо и колыхание занавесок.

— Пройдите на второй этаж, номер двадцать восемь. Но не думаю, что с вами особо будут общаться. Тут люди с характером... — предупредил прораб.

— Спасибо, Итен. Я найду чем их заинтересовать, можете не сомневаться. У всех у нас в определенных ситуациях проявляется характер.

Груня уверенно ступила каблуком на деревянный настил, проложенный по испорченному стройкой газону, и вошла в отель, пропахший строительной пылью и какими-то растворами.

Дверь под номером двадцать восемь она толкнула так же решительно, похоже, зная, кого там обнаружит.

— Здравствуй, Таня, — произнесла Аграфена, входя внутрь и даже не глядя на присутствующую там женщину.

Гостиничный номер имел вид весьма непрезентабельный. Шкафы сдвинуты в угол, кровать застелена целлофаном, на котором уже образовался осадок

302

из светло-серой пыли, паркетный пол чем-то поца-
рапан, возможно, во время передвижения мебели.
Посередине обезображенной комнаты за столом вос-
седала Татьяна Ветрова, одетая в джинсы и не очень
чистую футболку. На столешнице перед ней лежала гора каких-то документов и чертежей. Выглядела
актриса очень уставшей и замотанной.

Глаза ее заметались, и она изобразила дикое удивление при виде Аграфены, хотя именно в этом номере дернулись занавески, когда Груня разговаривала
с прорабом.

— Грушечка! Господи, какими судьбами? Вот уж
не ожидала! — кинулась она к вошедшей Аграфене
с объятиями. — Сколько лет, сколько зим!

— Всего-то пара-тройка недель. А ощущение
и правда, что очень долго не виделись, — вздохнула
Груня. — Я словно в другой мир вернулась.

— Мне даже посадить тебя некуда... — озиралась
по сторонам Татьяна.

— Ничего, я здесь пристроюсь, — присела на подо-
конник Аграфена и сложила руки на коленях.

— Осторожно, испачкаешься... — На лицо Тани
набежала тень смущения. — Наверное, ты желаешь
знать, что происходит?

— Я понимаю, что лезу не в свое дело, но и правда
хотелось бы знать. Как-то неожиданно все, согласись.
Ты именно это имела в виду, когда говорила, что сможешь пристроиться, и даже очень неплохо?

— Мы же все пережили шок. Жизнь буквально
рухнула — Эдуард умер, театр развалился... А жить-
то надо было дальше! Вот я и вступила в ряды фонда
театрального, к которому перешел отель.

Татьяна Луганцева

— Прямо специально? — прищурила светлые глаза Груня.

— Да. Мне понравилось здесь, так почему бы не остаться? Сама жизнь подкинула мне шанс. Пусть и не на сцене, но я работаю, я — нужный человек... Да что я все о себе да о себе! Ты-то как? Пришла в себя? Бедная ты моя, несчастная... Только забрезжило счастье в личной жизни, и все оборвалось. Выглядишь вообще-то неплохо...

— Не напоминай мне... Я и прилетела сюда, словно магнитом притянутая. А увидела отель — и до боли в сердце захотела войти. Здесь мы жили с Вилли, здесь я, дурочка, не верила в свое счастье.

— Ладно, не трави себе душу. Чем тебе помочь? Хочешь к нам в артель? Или ты уже устроилась художницей? Я ничего про наших не знаю. Да и неинтересно мне — я начала новую жизнь!

— Как оказалось, художница я не очень, а вот моя любовь к мелочам сыграла свою роль, — обронила Аграфена довольно туманную фразу.

— Не поняла, — улыбнулась Татьяна.

— А я объясню... Все последнее время мои мысли напоминали несложившийся кубик Рубика. Но все-таки, пусть с большими моральными затратами и не сразу, я головоломку решила. Когда я тебе все расскажу, ты поймешь, почему я так долго двигалась к разгадке. А сейчас лишь замечу: сплелось прошлое и настоящее, два разных дела, человеческие чувства, любовь и ненависть.

— Звучит великолепно! — Ветрова расположилась поудобнее на стуле и повернулась к гостье лицом. —

Зачем коту копыта?

Ты заразилась от Вилли тягой к творчеству и стала писать сценарии?

— Ага, можно сказать и так. Вся эта история похожа на сценарий. И знаешь, когда я распутала клубок, у меня на сердце легче стало. Хорошо, что в Москве еще есть люди, которые помнят свою молодость и интриги людей, которые окружали их в то время. Артисты люди влюбчивые и эмоциональные. Ах, как блистала в те годы прекрасная артистка Ольга Орлова! И под стать ей был Марк Тарасов. Она помоложе, он постарше, но оба талантливые люди, подававшие большие надежды. И вот в сердце Оли поселилась любовь, огромная, как мир, и — светлая, как девушка тогда думала. А на самом деле разбившая ее жизнь вдребезги. Ольга как-то неожиданно влюбилась в приятеля Марка, в Эдуарда, и ушла к нему. Говорят, Марк сильно тогда переживал, даже жить не хотел, и затаил сильную обиду на друга. А бог наказал Олю за страдания брошенного ей мужчины: Эдуард оказался слабоват характером и не выдержал рядом с красивой и талантливой девушкой, теперь уже он бросил ее... Ему глупую дуру, видите ли, подавай было!

— Какие страсти! — хмыкнула Татьяна, перекладывая на столе чертежи. — Очень интересная история.

— А ты разве ее не знаешь? Странно... Ведь все происходило в твое время, ты должна помнить ее персонажей, — покачала головой Аграфена.

— Велика честь! Ну да, все только и говорили об Олечке Орловой. Мол, вторая Любовь Орлова, талант, звезда... А я не хочу о ней помнить! Эдик потом со мной забыл ее! — начала заводиться Ветрова.

305

— Как женщина я тебя понимаю. Я бы тоже не захотела вспоминать бывших подружек своего любимого. Но пойдем дальше. Марк отомстил Эдику, сильно подставив, когда украл целое состояние — английскую корону. Это-то ты знаешь, ведь ждала его из тюрьмы, как жена декабриста.

— Да, знаю. Только не пойму, к чему ты клонишь? История столетней давности... Ты летела сюда рассказать мне именно ее?

— Нет, у меня есть новости посвежее.

— Я вся — внимание!

— Дело в том, что в той старой московской тусовке поклонницей Ольги Орловой была и светская художница Серафима Дмитриевна.

— Опять ты об Ольге Орловой? Далась она тебе... Насколько мне известно, она давно погибла.

— Вот! В том-то и ошибка! — обрадовалась Аграфена. — Все так думали! А прошло много лет, и совершенно случайно Серафима Дмитриевна увидела Ольгу Орлову — уже постаревшую, жутко изменившуюся, но ее... Пожилая женщина так и сказала: «Вот это талант!» А затем недоумевала, как, имея в труппе таких актеров, можно было провалить спектакль, выпустив на сцену бездарность за бездарностью. Я и спросила у нее, каких артистов и какие таланты она имела в виду.

Татьяна закинула ногу на ногу.

— Твоя Серафима с ума, что ли, сошла? Мертвецы ей везде мерещатся... Какая Ольга? Где?

— Не перебивай! Старушка имела в виду Ольгу Орлову, талант которой запомнила, а смотрела на тебя. И указала потом на тебя. Это ты — Ольга Орлова.

Сейчас ты скажешь, что она — старая и выжившая из ума бабка. Все бы так, если бы у этой бабки не было феноменальной памяти на лица, даже подправленные пластикой...

— Бред какой-то, — хохотнула Татьяна.

— И если бы мои знакомые из полиции в России не провели колоссальную работу, бумажную и разыскную, — упорно продолжала Аграфена. — Выяснилось, что в одно время разбилась Оля Орлова и пропала спивающаяся молодая актриса Таня Ветрова. Интересный бермудский треугольник, правда? — Татьяна промолчала. — Огромна сила любви! Положить свой талант на жертвенный алтарь, убить в себе все то, чем щедро одарила природа, — все ради того, чтобы вернуться к любимому мужчине в образе такой женщины, которую он смог бы терпеть рядом с собой. Ты умный человек, и когда еще была с ним Ольгой, прекрасно поняла, что ему надо. А Эдуарду была нужна «подружка», несуразная, все терпящая, импульсивная, верная своему господину — и бесталанная. Невероятно! Ты прожила в этом амплуа всю жизнь, а он, бесчувственный чурбан, не узнал тебя. Могу предположить, каких сил тебе стоило скрывать свое «я». Ты изменила внешность, походку, тембр голоса, манеры, стрижку и цвет волос... Потрясающе! Вся жизнь — в образе! Браво! Ты обманула всех, кроме престарелой безумно талантливой портретистки.

— Ты еще заплодируй мне, — мрачно произнесла Татьяна.

— А стоит?

Ветрова отвернулась, а Груня продолжила:

— Но ты для Эдика была готова на все. Только... только так до конца и не смогла завоевать его сердце. Парадокс в том, что он всегда тянулся к ярким и талантливым женщинам, как Оля Орлова, и всю жизнь изменял тебе, ища такую, какой ты и была внутри, а вот жить бы с такой не смог. Ты знала, что Эдуард очень сильно переживал из-за той кражи и своей «отсидки». Думаю, тогда ты и решила, что если вернешь корону ему, сделав одним из богатейших людей России, то тогда-то уж он точно оценит твою самоотверженность и любовь. Может быть, ты даже хотела открыться ему и поразить силой своих чувств. И ты стала искать Марка. Но так и не нашла. И вдруг удача — тот сам объявился. Ты была уверена, что корона у него, и полна решимости найти ее, понимая, что он ее спрятал, скорее всего, там, где провел последние годы. Ты узнала, кому завещан отель Вилли, и вступила в фонд. А дальше оставалось только сделать так, чтобы завещание вступило в силу, то есть убить Вилли. Но тут я тебе начала мешать. Тогда ты решила заодно избавиться от меня — растворила в мартини пилюльку. И ведь не побоялась сама хлебнуть чуток отравы, чтобы снять с себя подозрения. А твое искривленное якобы ботоксом лицо тоже было неспроста. Ты ведь не знала, что Марк умер, и почему-то испугалась — вдруг именно он тебя узнает. Кстати, почему?

— Он любил меня...

— Золотые слова! Ну да, он всегда смотрел на тебя, а Эдик — на себя. Пожалуй, и правда Марк мог разглядеть в чужой вроде женщине любимые черты... Все-таки добившись своего, ты тут, что называется, развернулась — ломаешь стены, потолки... Ищешь

сейф? Тайник? Фонд тоже участвует или это твоя инициатива? Я уверена, что с твоим талантом ты и мертвого заставишь себе поверить. Но, думаю, инициатива именно твоя...

— Я подделала документы, что отель в аварийном состоянии и требует немедленного ремонта. А я являюсь близким другом Вилли, и он перед смертью очень хотел, чтобы его дела в порядок приводила именно я, — самодовольно ответила Таня. — Ты извини, Груня, что мне с помощью нанятых людей пришлось убрать твоего красавчика. Ничего личного! Я очень долго и тяжело шла к своей цели, чтобы отступить в последний момент. В таких делах каждый за себя...

— Ты сошла с ума, идя к своей цели, — покачала головой Аграфена.

— Может быть. Но я принесла бы эту кость к ногам Эдика.

— Неловко как-то получилось — Эдика-то нет. Для меня, кстати, загадка — зачем ты с ним так? Неужели его измена с Настенькой стала последней каплей? У него же таких Настенек было... Или все-таки то, что он выкинул тебя со сцены? Обидно стало, что ты ради него от своего таланта отказалась, даже на убийство пошла, а он так спокойно от тебя отказался?

— Дура ты, Груня... Я бы его не тронула никогда в жизни, — тихо ответила Татьяна.

— Что? Николай? — предположила Груня. — Твой верный паж-алкоголик?

— Да. Этот идиот отравил Эдуарда из-за меня. Решил, что тот всю жизнь издевался надо мной, а теперь совсем меня уничтожил, уволив из труппы. Он все эти годы любил меня. Его в другие театры

309

звали, но Коля оставался в нашем, то есть рядом со мной. И вот тут-то ему в башку стукнуло, что его час пробил — надо убрать Эдика, и мы с ним будем вместе. Говорю же — идиот.

— И ты проглотила то, что убили твоего мужчину? — удивилась Груня.

— Нет, конечно. Мне пока Николай нужен, он как верный пес помогает мне во всем, а потом, когда найдется корона, я его уберу. Отомщу за Эдуарда, за свою разбитую жизнь, можешь не сомневаться.

— Ты просто слетела с катушек! И ты, и Николай, и по большому счету Эдуард... Вот уж не знала я, что живу, работаю и дышу одним воздухом с шайкой бандитов. Ведь именно ты убила настоящую Таню Ветрову и изувечила ее тело?

— Я была в депрессии. Меня только что бросил любимый человек, и я находилась фактически в состоянии аффекта. Эту дурочку я нашла на помойке, привела в чувство и пообещала вылечить, устроить в театр актрисой. Как ты уже поняла, я умею убеждать...

— Да, я поняла, — глухо откликнулась Груня.

— Ну и отвезла ее за город, напоила какой-то дрянью и сожгла в своем автомобиле, который мне, кстати, Марк подарил... Ничего, я прожила за нее жизнь, пьянчужка не должна быть на меня в обиде. А новая Таня Ветрова, в нашем мире, знала, что ей надо от жизни.

— Твой талант не пошел на пользу ни тебе, ни окружающим, — грустно отметила Аграфена. — Даже смерть любимого не вернула тебя на путь истинный, не стала сигналом, что все твои усилия тщетны. Все, к чему ты шла столько лет, провалилось!

— А я научилась относиться к жизни философски... Нет любимого, нет денег — грустно. Без любимого, но с деньгами чуть-чуть веселее. С большими деньгами будет еще лучше. Так что корона должна быть моей, я ее заслужила. — Татьяна засмеялась.

— А корона действительно хороша, — сладострастно потянулась и чуть ли не зевнула Груня. — Мало того, что она золотая, причем тяжеленная, так еще усыпана алмазами и сапфирами с изумрудами. И, заметь, не такие, как в дешевых украшениях из Индии, а изумительнейшей чистоты и большой каратности. Там каждый камушек — произведение искусства. Эх, Танька, корона-то стоит, по оценкам современных экспертов, много дороже даже, чем раньше объявлялось. Можно отковырять один камушек и жить пару лет припеваючи. А коллекционеры-толстосумы еще и в очередь выстроятся за такой красотой.

Татьяна очень внимательно смотрела на Аграфену, у нее даже зрачки расширились и лицо побледнело.

— А ты откуда все это знаешь? Так смачно рассказываешь... В Интернете вычитала?

— Ради такой красоты можно и на убийства пойти. Даже ради одного камушка. Я тебя понимаю, — продолжала издеваться Груня.

— Ну, говори, откуда знаешь!

— А я ее держала в руках, Танечка... или Олечка... Ощупала каждый камушек. А как бы иначе я узнала про новейшую экспертизу, а потом отдала. Сейчас она на пути в Англию. Но мне отвалят солидный куш. Ничего, мне хватит, имея в виду мои скромные запросы. Эх, рвануть бы сейчас на юга... Но, боюсь, ты поедешь в противоположном направлении. Не к загару, а к вечной мерзлоте. Вот ведь ирония судьбы! Но каждый получает то, что заслужил. Поздно или рано. Такова селяви, как говорится.

— Заткнись! Скажи, что это не правда!

— Я не вру и не прикидываюсь, как ты всю жизнь. Я же говорила, что в этой истории много чего переплелось. Марк долгие годы прятал корону, боялся, что найдут и осудят или ограбят и убьют. Но, заболев, решил оставить драгоценную реликвию своему ребенку, то есть мне. Открыто написать в завещании о короне нельзя было, он же приобрел ее противозаконно. Да и опасался, наверное, ведь убивают и за меньшие деньги. А как дать хоть какой-то намек? Ну и выбрал он способ. — Груня вздохнула. — Если честно, кабы не особое стечение обстоятельств, я бы ни за что не догадалась. Никогда в жизни. Так и не нашли бы это сокровище. Так вот... Марк предположил, что я узнаю, в краже чего его подозревают. Мой отец был человеком искусства и видел в Москве мои портреты. Как сказала Серафима Дмитриевна, а ей, повторюсь, можно верить, они никчемные, я выписываю подробно мельчайшие детали, а собственно портрета нет. И Марк это учел. Поэтому так уговаривал Эдика обязательно привезти в Венгрию меня. Когда умерли его престарелые родственники, он их похоронил. Наверное, на кладбище, ему и пришла идея спрятать бесценную вещь там. А что, тихое, спокойное место. Но надо было так спрятать, чтобы оставался хоть один шанс из тысячи, что ее найду я. Вот откуда и происходила его маниакальная просьба, чтобы я написала портреты его родственников. А их фотографии имелись только на могильных памятниках. Марк даже мертвых сфотографировал, чтобы мне было с чего писать портреты! Это ненормально на первый взгляд, но если вдуматься... Марк всего лишь очень хотел, чтобы я пришла на кладбище и выполнила его просьбу. А с моим вниманием к деталям... Дело в том, что прямо за могилами его родственников находится стела, где захоронены останки людей, погибших в авиакатастрофе. И между могилами Софьи Павловны и Аркадия Михайловича на той стеле видно имя некой Кароль Эхштейн. Вот такая маленькая деталька: Кароль... королева... У меня в голове что-то щелкнуло, и я решила проверить свою странную мысль. Думаешь, куда и к кому я пошла? Правильно, к Серафиме Дмитриевне, которая говорила, что в ее антикварной лавке хранится много всякого хлама, газеты в том числе. Мы с ней сели с чашечкой теплого чая с шоколадом за подборку газет за июнь 1995 года и нашли весь скорбный список погибших в той авиакатастрофе. Весь! Но в нем не упоминалась Кароль Эхштейн. Странно, не правда ли? И вот вместе с Дебреном и еще некоторыми господами в обстановке строжайшей секретности мы приехали на кладбище и вскрыли стелу в том месте... Кульминация, Таня! Почему ты не улыбаешься, не радуешься? Вместо урны с прахом мы там нашли именно корону. Слава ее величеству! Аллилуйя! Ты знаешь, камни ее так сияли! Дух захватывало!

— Стерва, — прошептала Таня.

— Да, я молодец! Хотя ребус был не из простых, я его разгадала. И пусть портретист из меня никакой, зато следователь получился бы! У каждого свой талант!

— Значит, ты хочешь жить без любимого, но с деньгами? — прищурила глаза Татьяна.

— Вовсе нет! — засмеялась Аграфена. — Это ты избрала такой путь. А мне деньги без любимого ни к чему.

— Но твой Вилли умер! — зло выкрикнула Татьяна.

— Ой ли? Стоит ли верить всему, что слышишь? Ты же сама мастер обмана! Мы уже подозревали тебя, и надо было прекратить покушения на Вилли. Вот мы и договорились с Дебреном, что разыграем сцену с сообщением о его кончине в больнице.

— Не может быть...

— Может, и еще как! Вы, актеры, народ талантливый на розыгрыши, но и секретные службы могут творить чудеса, если надо.

— А ты, оказывается, еще и актриса неплохая — так правдоподобно потеряла сознание при известии о смерти Вилли, — побледнела Татьяна.

— Были учителя рядом, — подмигнула ей Груня.

— Какая же ты...

— Опять скажешь — стерва? Понимаю... Но ты же не будешь требовать от меня особой к тебе любви, если ты столько раз покушалась на Вилли? Тебе ли не понять, на что женщина способна пойти ради любви? — Аграфена рассмеялась.

— И ты думаешь, что я дам тебе уйти, чтобы ты и дальше глумилась надо мной?! — вдруг взорвалась Татьяна и кинулась на гостью, сидящую на подоконнике.

Пальцы бывшей актрисы мгновенно сомкнулись у нее на шее. Озлобленное лицо нависало над Груней, а в руках чувствовалась необыкновенная сила не сов-

сем нормального человека, да еще доведенного до отчаяния. Художница захрипела. И уже почти теряя сознание, разгадала замысел противницы — придушить ее, а затем уже обмякшее и несопротивляющееся тело выкинуть в окно на строительные камни.

Когда пришла помощь, Аграфена едва дышала. Это время показалось ей вечностью.

Двое мужчин скрутили Татьяне руки, третий, в форме прораба, спросил у Груни:

— Ты как?

— Нормально... кхе-кхе... Думала, что все... кхе... Что вы так долго?

— Как смогли! Мы не ожидали от нее такой прыти. Хорошая у нее физическая форма! Натренировалась тут на стройке...

— Ублюдки! Ты же мой прораб, Итен! Ты следил за мной? Подставной? — визжала Татьяна.

— Извините, Оля-Таня, но у меня служба такая. — Дебрен снял кепку, а также усы и брови.

— Ты?!

— Я. Думаю, что скоро получу повышение — за безупречное раскрытие международной сети мошенников. Фонд-то с душком оказался.

— Как всё повернули... — ошарашенно протянула Татьяна. — И деньги, и любовь — всё ей. А я? Я же всю жизнь к этому шла!

Груня, потирая шею, сказала:

— Все так сложилось потому, что ты прожила не свою жизнь. Ты умерла, когда умерла Оля Орлова. А вот перевоплощение Тани Ветровой прошло неудачно. Лучше бы жила та несчастная пьянчужка. У нее хотя бы был шанс исправиться и начать новую жизнь.

У тебя же не было ни одного шанса, ты прошла точку невозврата еще в молодости.

— Уведите ее, — скомандовал Дебрен и улыбнулся: — Ты молодец, Груня! Мы записали все слова преступницы.

— Выдадите России?

— Это пусть решают на высших кругах, а мне все равно, где накажут убийцу. Ветрова-Орлова наследила и в России, и здесь.

— Кстати, я действительно очень внимательна к деталям, в отличие от Татьяны. Ты единственный на стройке ходишь без жилета.

— Жилет сильно давит на ребра, а они у меня еще болят, — объяснил комиссар полиции. — Я смотрю, ты уже пришла в себя, щеки порозовели. Жалко, что отель кое-где раскурочить успели... Но Вилли сказал, что ремонт требовался, и сейчас уже он его сделает.

— Мы вместе сделаем, — поправила Груня. — Мне же дадут выплату за находку английской драгоценности.

— Вас можно поздравить? — хитро посмотрел на нее Листовец.

— Вполне...

— Значит, погуляем на свадьбе. Ты, кстати, иди, Вилли ждет тебя в кафе... Рыцарь еще слаб, но вышел из подполья.

Груня поцеловала Дебрена в щеку и застучала каблуками по ступенькам вниз. Перемахнула через какие-то строительные ограждения, пробежала мимо полицейской машины с мигалкой... мимо людской суеты... Ее глаза видели только небольшой столик уличного кафе, где за чашечкой кофе с газетой в руках сидел

Зачем коту копыта?

Вилли. Самый желанный и самый красивый на свете мужчина. Позади него стояли костыли — перелом обеих ног от свалившегося на него мощного креста дело нешуточное. «Именно в том костеле и повенчаемся», — сказал он ей парой дней ранее, открывая коробочку с колечком. «Спасибо, Вилли... Это тоже деталька — очень важная, как все детали», — прошептала ему тогда Груня.

А сейчас, перебежав через дорогу, она влетела в кафе, плюхнулась за столик и сообщила:

— Все кончено, любовь моя! Занавес!

Вилли взял ее руку и поцеловал. И больше не отпустил, как и обещал.

Литературно-художественное издание

Луганцева Татьяна Игоревна

ЗАЧЕМ КОТУ КОПЫТА?

Роман

Редакционно-издательская группа
«Жанровая литература»

Зав. группой *М. Сергеева*
Ответственный редактор *Т. Захарова*
Компьютерная верстка *Г. Клочковой*

ООО «Издательство АСТ»
129085, г. Москва, Звездный бульвар, д. 21, строение 3, комната 5
Наш электронный адрес: www.ast.ru
E-mail: astpub@aha.ru

«Баспа Аста» деген ООО
129085, г. Мәскеу, жұлдызды гүлзар, д. 21, 3 құрылым, 5 бөлме
Біздің электрондық мекенжайымыз: www.ast.ru
E-mail: astpub@aha.ru

Қазақстан Республикасында дистрибьютор
және өнім бойынша арыз-талаптарды қабылдаушының
өкілі «РДЦ-Алматы» ЖШС, Алматы қ., Домбровский көш., 3«а», литер Б, офис 1.
Тел.: 8(727) 2 51 59 89,90,91,92
Факс: 8 (727) 251 58 12, вн. 107; E-mail: RDC-Almaty@eksmo.kz
Өнімнің жарамдылық мерзімі шектелмеген.

Өндірген мемлекет: Ресей
Сертификация қарастырылмаған

Подписано в печать 20.02.2017.
Формат 84х108^1/$_{32}$. Усл. печ. л. 16,8.
С.: Детектив с огоньком. Тираж 1500 экз. Заказ № А-536.
С.: Иронический детектив. Тираж 1500 экз. Заказ № А-535.

Отпечатано в полном соответствии с качеством
предоставленного электронного оригинал-макета
в типографии филиала АО «ТАТМЕДИА» «ПИК «Идел-Пресс».
420066, г. Казань, ул. Декабристов, 2.
E-mail: idelpress@mail.ru